비상 독해路
수능 국어 1등급

예비 고등~고등3
수능 개념을 바탕으로 실전 감각을 길러요

독서, 고난도 독서
기출 개념을 익히고 학습하는 수능 예상 문제집

기본 독서, 독서
기출로 실전 감각을 키우는 기출문제집

예비 중등~중등3
영역별 독해 전략을 바탕으로 독해력을 강화해요

비문학 1~3권
독해력을 단계별로 단련하는 중등 독해

어휘편 1~3권
중등 전 과목 교과서 필수 어휘 학습

문학편 1~3권
감상 스킬을 단련하는 필수 작품 독해

초등5~예비 중등
본격적으로 학습 독해 실력을 쌓아요

비문학 1~2권
초등 독해의 넥스트 레벨 고급 독해

문학 1~3권
시험에 꼭 나오는 작품 독해

예비 초등~초등6
바른 독해 습관과 독해 기초를 다져요

1~12권
초등 교과서 필수 어휘를 익히는 테마 어휘

1~6권
단계별로 읽는 초등 테마 독해

상상 그 이상

모두의 새롭고 유익한 즐거움이
비상의 즐거움이기에

아무도 해보지 못한 콘텐츠를 만들어
학교에 새로운 활기를 불어넣고

전에 없던 플랫폼을 창조하여
배움이 더 즐거워지는 자기주도학습 환경을
실현해왔습니다

이제, 비상은
더 많은 이들의 행복한 경험과
성장에 기여하기 위해

글로벌 교육 문화 환경의
상상 그 이상을 실현해 나갑니다

상상을 실현하는 교육 문화 기업 비상

초등 수능 독해

문학 1 | 육이오 전쟁부터 현대까지

메인북

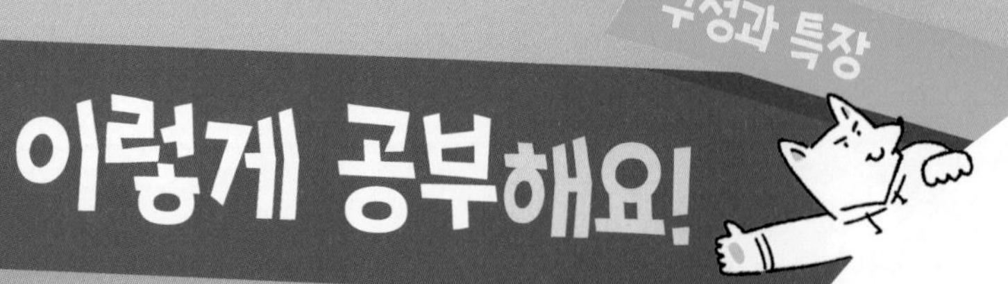

메인북 을 완벽하게 활용하는 방법

수능 필수 문학 작품을 한눈에 보는

작품 비주얼

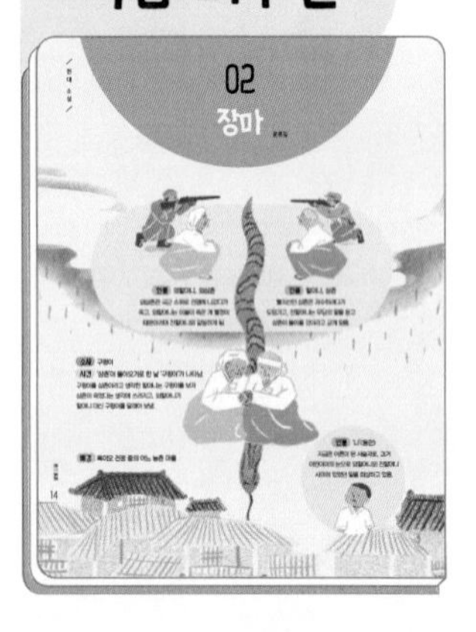

작품의 주요 장면 위주로

지문 학습

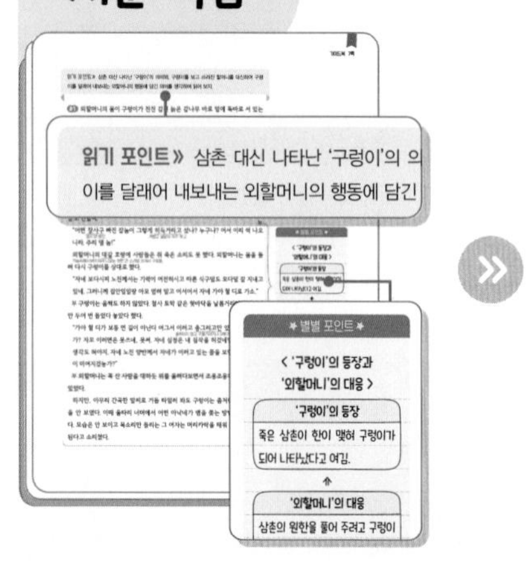

내용 이해를 완벽하게 확인하는

문제 학습

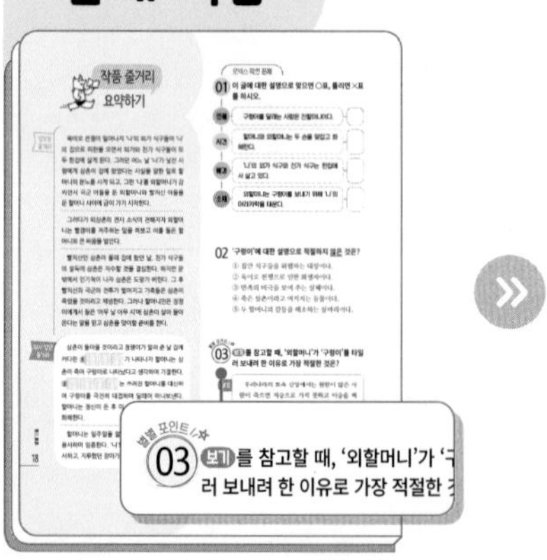

* 작품 비주얼▶ 작품의 주요 인물을 중심으로 정리된 사건, 배경, 소재 및 표현 방식을 읽으며 작품 전체의 내용을 머릿속으로 그려 봅니다.

* 읽기 포인트▶ 지문을 읽을 때 확인해야 하는 내용을 짚어 봅니다.
* 별별 포인트▶ 반드시 문제로 나오는 핵심 내용을 바로바로 정리합니다.

* 작품 줄거리 요약하기▶ 작품의 전체 줄거리를 읽으며 내용을 다시 확인합니다.
* 오엑스 확인 문제▶ 갈래별 기본 요소와 관련된 문제를 풀며 작품을 정리합니다.
* 별별 포인트 문제▶ 지문의 핵심 내용이 어떻게 문제로 나오는지 확인하며 풀어 봅니다.

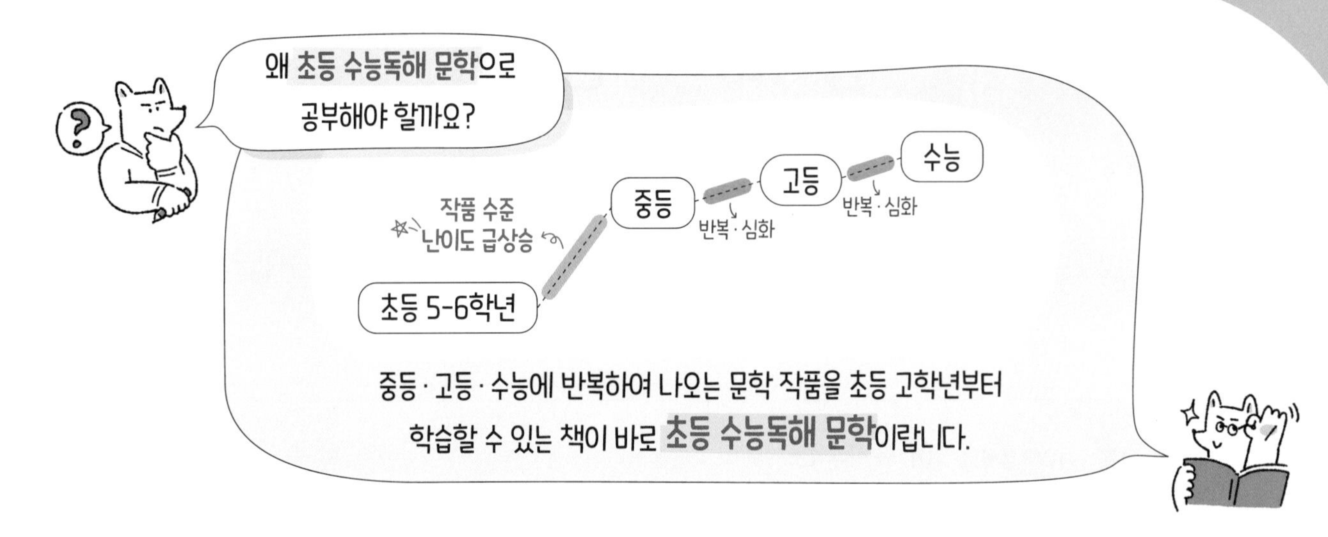

가이드북을 완벽하게 활용하는 방법

문학 독해의 어휘력을 높이는

어휘로 마무리

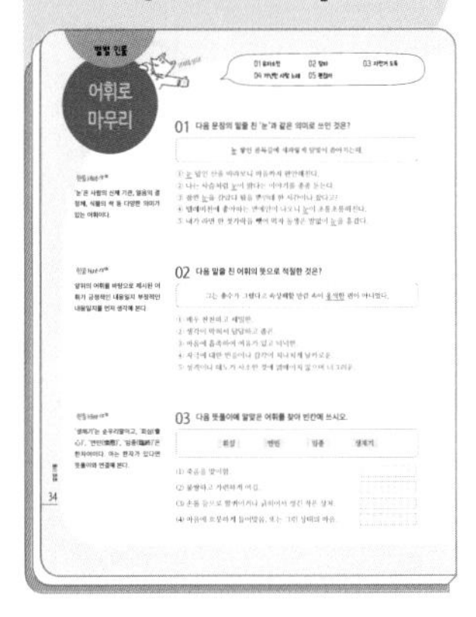

- 어휘 문제▶ 한 챕터가 끝날 때마다 어휘 문제를 풀어 보면서 문학 작품에 나오는 어휘들을 정리합니다.
- 한줌 Hint!▶ 힌트를 보면 문제를 푸는 데 도움을 얻을 수 있습니다.

문학 작품 목록을 한눈에 보는

수록 작품

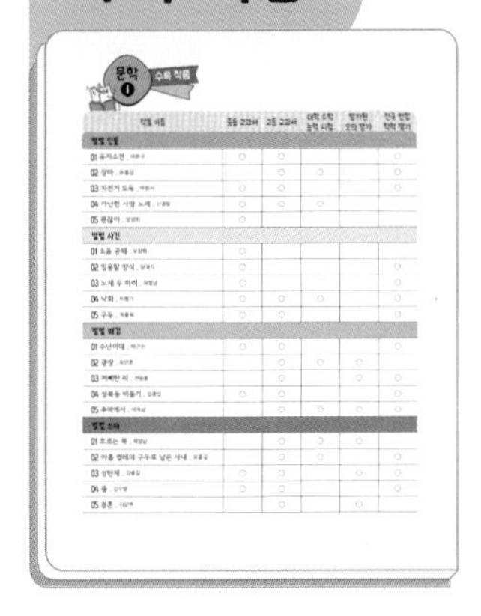

- 수록 작품▶『초등 수능독해』에 실린 문학 작품은 중등 교과서, 고등 교과서, 수능, 모의 평가, 학력 평가에 반복하여 나오는 중요한 작품이랍니다. 어디에 나왔던 작품인지 한눈에 확인할 수 있습니다.

정답은 빠르게 해설은 친절하게

가이드북

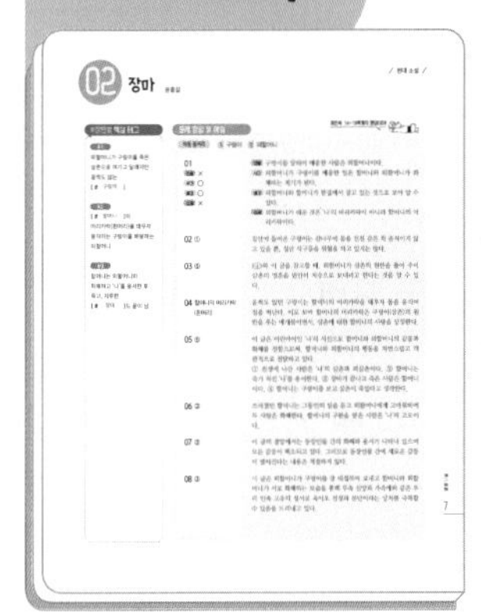

- 정답과 해설▶ 왼편에서 정답만 빠르게 확인할 수도 있고, 오른편에서 자세한 해설을 보며 정답을 찾는 방법을 확인할 수도 있습니다.
- <보기> 돋보기▶ 고난도 문제로 꼽히는 <보기>형 문제! <보기>의 내용까지 꼼꼼하게 확인할 수 있습니다.

육이오 전쟁부터 현대까지

별별 인물

별별 사건

별별 배경

별별 소재

함께 공부하면 좋아요!

차례

문학 2

▶ 개화기부터 일제 강점기까지

문학 3

▶ 삼국 시대부터 조선 시대까지

별별 인물

01
유자소전

이문구

배경 1970년대, 서울

소재 비단잉어

장년 시절

인물 장년 유자(유재필)
총수의 위선적인 모습을 알고 난 후로는 총수의 운전사 노릇을 그만두고 싶어 함.

인물 총수
유자를 운전사로 고용한 재벌. 값비싼 비단잉어를 사서 연못을 만드는 등 허영심이 있음.

사건 '총수'의 '비단잉어'가 떼죽음을 당함.
유자가 죽은 비단잉어로 매운탕을 끓여 먹은 일로 총수와 유자가 갈등함.

청년 시절

인물 청년 유자
군대에서 장교들의 사주를 봐 주며 '도사'라고 불림.

노년 시절

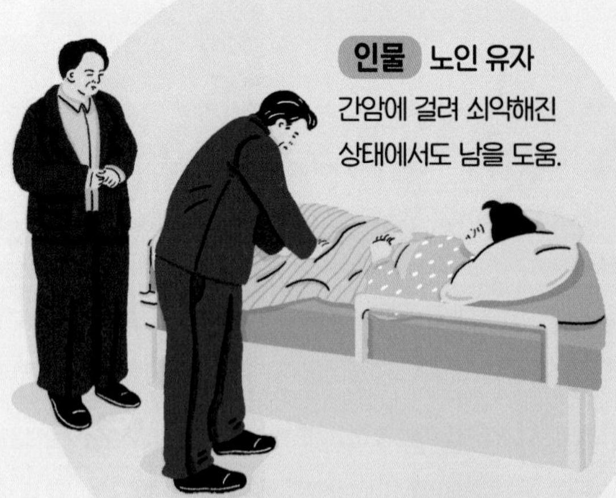

인물 노인 유자
간암에 걸려 쇠약해진 상태에서도 남을 도움.

소년 시절

인물 소년 유자
또래보다 숙성하여 여러 모로 일찍 터득하고 앞서 나감.

인물 '나'
유자의 동창생이자 작가로, 유자의 삶을 관찰하여 서술함.

읽기 포인트≫ 떼죽음을 당한 '비단잉어'를 둘러싼 유자와 총수의 태도를 비교해 보고, 이러한 인물들의 태도에서 웃음이 느껴지는 이유를 생각하며 읽어 보자.

#1 하루는 어디로 어디로 해서 어디로 좀 와 보라고 하기에 물어물어 찾아갔더니, 귀꿈맞게도 붕어니 메기니 하고 민물고기로만 술상을 보는 후미진 대폿집이었다.

전혀 어울리지 않고 촌스럽게도. / 아주 구석지고 으슥한.

나는 한내를 떠난 이래 처음 대하는 민물고기 요리여서 새삼스럽게도 해감내가 역하고 싫었으나, 그는 흙탕 내도 아니고 시궁 내도 아닌 그 해감내가 문득 그리워져서 부득이 그 집으로 불러냈다는 것이었다.

물속에서 흙과 유기물이 썩어서 생긴 찌꺼기의 냄새.

"허울 좋은 하늘타리지, 수챗구녕 내가 나서 워디 먹겄나, 이까짓 냄새가 뭣이 그리워서 이걸 다 돈 주고 사 먹어. 나 원 참, 취미두 별 ㉠움둑가지 같은 취미가 다 있구먼."

내가 사뭇 마뜩잖아했더니,

"그래두 좀 구적구적헌 디서 사는 고기가 하꾸라이버덤은 맛이 나아."

'외래', '외국 제품'을 뜻하는 일본어.

하면서 그날사 말고 수그러들 기미를 보이지 않는 것이었다. 그가 자기주장에 완강할 때는 반드시 경험론적인 설득 논리로써 무장이 되어 있는 경우였다.

"무슨 얘기가 있는 모양이구먼."

"있다면 있구 없다면 없는디, 들어 볼라남?"

그는 이야기를 펼쳐 놓았다.

#1 핵심 태그
후미진 # (   ) 에서 만나 '나'에게 이야기를 시작하는 유자

#2 총수의 자택에 연못이 생긴 것은 그 며칠 전의 일이었다. 뜰 안에다 벽이고 바닥이고 시멘트를 들이부어 만들었으니 연못이라기보다는 수족관이라고 하는 편이 알맞은 시설이었다. 시멘트가 굳어지자 물을 채우고 울긋불긋한 비단잉어들을 풀어놓았다.

어떤 집단의 우두머리.

비단잉어들은 화려하고 귀티 나는 맵시로 보는 사람마다 탄성을 자아내게 하였으나, 그는 처음부터 ㉡흘기눈을 떴다. 비행기를 타고 온 수입 고기라서가 아니었다. 그 회사 직원의 몇 사람 치 월급을 합쳐도 못 미치는 상식 밖의 몸값 때문이었다.

몹시 감탄하는 소리.

"대관절 월매짜리 고기간디그려?" / 내가 물어보았다.

여러 말 할 것 없이 요점만 말하건대.

"마리당 팔십만 원쓱 주구 가져왔댜."

그 회사 직원들의 봉급 수준을 모르기에 내 월급으로 계산을 해 보니, 자그마치 3년 4개월 동안이나 봉투째로 쌓아야 겨우 한 마리 만져 볼까 말까 한 값이었다.

★별별 포인트★

< '비단잉어'의 의미 >

- 총수의 사치스러움과 허영심을 상징함.
- 상식 밖의 가격 때문에 유자가 못마땅하게 여기는 대상임.

↓

현대인의 사치와 허영심을 보여 주며, 총수와 유자의 갈등을 유발하는 소재임.

"웬 늠으 잉어가 사람버덤 비싸다냐?" / 내가 기가 막혀 두런거렸더니,

"보통 것은 아닐러먼그려. 뱉어낸벤또(베토벤)라나 뭬라나를 틀어 주면 또 그 가락대루 따라서 허구, 차에코풀구싶어(차이콥스키)라나 뭬라나를 틀어 주면 또 그 가락대루 따라서 허구, 좌우간 곡을 틀어 주는 대로 못 추는 춤이 없는 순전 딴따라 고기닝께. 물고기두 꼬랑지 흔들어서 먹구사는 물고기가 있다는 건 이번에 그 집에서 츰 봤구먼."

'연예인'을 낮잡아 이르는 말.

그런데 이 비단잉어들이 어제 새벽에 떼죽음을 한 거였다. 자고 일어나 보니 죄다 허옇게 뒤집어진 채로 떠 있는 것이었다.

총수가 실내화를 꿴 발로 뛰어나왔지만 아무 소용없는 일이었다.

"어떻게 된 거야?"

한동안 넋 나간 듯이 서 있던 총수가 하고많은 사람 중에 하필이면 유자를 겨냥하며 물은 말이었다.

"글쎄유, 아마 밤새에 고뿔이 들었던 개비네유." / 유자는 부러 딴청을 하였다.

'감기'를 일상적으로 이르는 말.

"뭐야? 물고기가 물에서 감기가 들어 죽는 물고기두 봤어?"

총수는 그가 마치 혐의자나 되는 것처럼 화풀이를 하려 드는 것이었다.

범죄를 저질렀을 것으로 의심을 받는 사람.

그는 비위가 상해서,

"그야 팔자가 사나워서 이런 후진국에 시집와 살라니께 여러 가지로다 객고가 쌓여서 조시두 안 좋았을 테구……. 그런 디다가 부릇쓰구 지루박이구 가락을 트는 대루 디립다 춰 댔으니께 과로해서 몸살끼두 다소 있었을 테구……. 본래 받들어서 키우는 새끼덜일수록이 다다 탈이 많은 법이니께……."

객지에서 겪는 고생.

'상태'의 일본말.

그는 시멘트의 독성을 충분히 우려내지 않고 고기를 넣은 것이 탈이었으려니 하면서도 부러 배참으로 의뭉을 떨었다.

겉으로는 어리숙한 것처럼 보이면서 속으로는 엉큼함.

"하는 말마다 저 말 같잖은 소리…… 시끄러 이 사람아."

총수는 말 가운데 어디가 어떻게 듣기 싫었는지 자기 성질을 못 이기며 돌아섰다.

★ 별별 포인트 ★

〈 '유자'의 성격 〉

- 상식 밖의 비싼 몸값을 주고 비단잉어를 사들인 총수에게 반감을 가짐.
- 자신에게 화를 내는 총수에게 의뭉스럽게 대함.

⇓

허영과 위선에 대한 비판 의식이 있으며, 능청맞고 재치가 있음.

#2 핵심 태그

______ 가 죽자 유자에게 화풀이를 하는 총수와 이를 의뭉스럽게 받아치는 유자

#3 그는 총수가 그랬다고 속상해할 만큼 속이 옹색한 편이 아니었다. 그렇지만 오늘 아침에 들은 말만은 쉽사리 삭일 수가 없었다.

생각이 막혀서 답답하고 좁은.

총수는 연못이 텅 빈 것이 못내 아쉬운지 식전마다 하던 정원 산책도 그만두고 연못가로만 맴돌더니, / "유 기사, 어제 그 고기들은 다 어떡했나?"

또 그를 지명하며 묻는 것이었다. / 그는 아무렇지 않게 대답했다.

"한 마리가 황소 너댓 마리 값이나 나간다는디, 아까워서 그냥 내뻔지기두 거시기허구, 비싼 고기는 맛두 괜찮겄다 싶기두 허구……. 게 비눌을 대강 긁어서 된

장끼 좀 허구, 꼬치장두 좀 풀구, 마늘두 서너 통 다져 넣구, 국물도 좀 있게 지져서 한 고뿌덜씩 했지유."

'컵'의 일본식 발음.

"뭣이 어쩌고 어째?"

"왜유?" / "왜애유? 이런 잔인무도한 것들 같으니……."

더할 수 없이 인정이 없고 아주 모진.

총수는 분기탱천하여 ㉢부쩌지를 못하였다. 보아하니 아는 문자는 다 동원하여

분한 마음이 격렬하게 솟구쳐 올라.

호통을 쳤으면 하나 혈압을 생각하여 참는 눈치였다.

"달리 처리헐 방법도 없잖은감유."

총수의 성깔을 덧들이려고 한 말이 아니었다. 그가 할 수 있는 것이 그 방법 말고

남을 건드려서 언짢게 하려고.

는 없었기 때문에 그렇게 ㉣뒷동을 달은 거였다.

총수는 우악스럽고 무식하기 짝이 없는 아랫것들하고 ㉤따따부따해 봤자 공연히 위신이나 흠이 가고 득 될 것이 없다고 판단했는지, 숨결이 웬만큼 고루 잡힌 어조로,

"그 불쌍한 것들을 저쪽 잔디밭에다 고이 묻어 주지 않고, 그래 그걸 술안주해서 처먹어 버려? 에이…… 에이…… 피두 눈물두 없는 독종들……."

하고 혼잣말처럼 중얼거리면서 들어가 버리는 것이었다.

"그래, 지져 먹어 보니 맛이 워떻탸?" / 내가 물은 말이었다.

"워떻기는 뭬가 워뗘…… 살이라구 허벅허벅헌 것이, 별맛도 없더먼그려."

물기가 적고 퍼석퍼석한.

하고 그는 다시 말을 이었다.

★ 별별 포인트 ★

< '총수'의 성격 >

• 비단잉어를 지극정성으로 대하고 불쌍히 여김.
• 죽은 비단잉어를 먹은 유자와 직원들을 '잔인무도한 것', '독종들'이라고 표현함.

↓

허영심이 많고 사치스러우며, 고상한 척하지만 위선적임.

#3 핵심 태그

유자가 죽은 비단잉어를 처리한 방식을 듣고 잔인무도하다고 말하는 #

#4 총수는 그 뒤로 그를 비롯하여 비단잉어를 나눠 먹었음 직한 대문 경비원이며, 보일러실 화부며, 자녀들 등하교용 승용차 운전수며, 자택에서 근무하는 종업

불을 때거나 조절하는 일을 맡은 사람.

원들에게는 조석으로 눈을 흘기면서도, 비단잉어 회식 사건을 빌미로 인사이동을

직원의 지위나 근무 부서를 바꾸는 일.

단행할 의향까지는 없는 것 같았다.

그는 하루바삐 총수의 승용차 운전석을 떠나고 싶었다. 남들은 그룹 소속 운전수들의 정상이나 다름없는 그 자리에 서로 못 앉아서 턱주가리가 떨어지게 올려다보고들 있었지만, 그는 총수가 틀거지만 그럴듯한 보잘것없는 위선자로 비치기

듬직하고 위엄이 있는 겉모양.

시작하자, 그동안 그런 줄도 모르고 주야로 모셔 온 나날들이 그렇게 욕스러울 수가 없었고, 그런 위선자에게 이렇듯 매인 몸으로 살 수밖에 없는 구차스러운 삶이 칙살맞고 가련하지 않을 수가 없었다.

하는 짓이나 말 따위가 얄밉게 좀스러우며 더럽고.

그래서 총수가 더 붙들어 두고 싶어도 불쾌하고 괘씸해서 갈아치울 수밖에 없는 어떤 사달이나 한바탕 퉁그러지기만을 이제나저제나 하고 기다리고 있었다.

#4 핵심 태그

총수가 #　　　　로 보이자 총수의 운전사를 그만두고 싶어 하는 유자

작품 줄거리 요약하기

앞부분 줄거리

'나'의 친구 유재필은 생각이 깊고 침착하며 성품이 곧고 남의 아픔을 자신의 아픔으로 받아들일 줄 아는 사람이다. '나'는 이런 그를 '유자'라고 부른다.

유자는 특유의 숫기 좋은 성격으로 학교에서 명물로 이름을 날리고 중학교 졸업 후에는 어느 정치인의 밑에서 일한다. 그리고 군대에 가서는 점술책을 읽은 덕분에 도사 노릇을 하며 편안하게 군 생활을 하면서 운전을 익힌다. 제대 후에는 군대에서 익힌 운전 실력을 바탕으로 택시를 운전한다.

제시 장면 줄거리

재벌 총수의 ❶ ☐☐☐ 가 된 유자는 총수가 비싼 비단잉어를 키우는 것을 못마땅해한다. 그런데 ❷ ☐☐☐☐ 가 떼죽음을 당하게 되자, 총수는 유자에게 화풀이를 하고 유자는 의뭉스럽게 받아친다. 총수가 죽은 비단잉어를 어떻게 했느냐고 묻자 유자는 동료들과 함께 먹었다고 말한다. 그 일로 인해 불이익을 당하지는 않았지만 유자는 위선자인 총수를 떠나고 싶어 한다.

뒷부분 줄거리

유자는 총수가 아끼는 황금 불상에 침을 뱉어 닦은 일로 총수의 분노를 사 그룹 소속 차량의 교통사고를 처리하는 노선 상무가 된다. 그곳에서 말썽 많은 교통사고를 해결하며 주변 사람들을 돕는다.

유자는 노년에 종합 병원 원무 실장으로 근무하면서 6·29 선언 때 시위하던 사람들을 치료해 주고, 사표를 낸 후에는 간암으로 생을 마감한다.

오엑스 확인 문제

01 이 글에 대한 설명으로 맞으면 ○표, 틀리면 ×표를 하시오.

인물	'나'는 총수의 운전사이다.	( )
사건	유자는 총수의 비단잉어를 산 채로 잡아 매운탕을 끓여 먹었다.	( )
배경	유자와 '나'는 후미진 대폿집에서 만나 이야기를 나눈다.	( )
소재	'비단잉어'는 '나'와 유자가 싸우는 원인이 된다.	( )

별별 포인트

02 '비단잉어'에 대한 설명으로 적절하지 않은 것은?

① 총수가 애지중지하는 대상이다.
② 총수의 사치스러움과 허영심을 상징한다.
③ 몇 사람의 월급을 합쳐도 못 살 정도로 비싸다.
④ 총수에 대한 유자의 인식이 변화하는 계기가 된다.
⑤ 유자는 비단잉어가 수입 물고기라서 반감을 가진다.

별별 포인트

03 이 글에 나타난 '유자'의 성격으로 적절한 것은?

① 겁이 많고 잘 놀란다.
② 소심하고 우유부단하다.
③ 능청스럽고 재치가 있다.
④ 잘난 체하며 남을 무시한다.
⑤ 내성적이며 부끄러움을 많이 탄다.

별별 포인트

04 이 글에서 알 수 있는 '총수'의 인물됨으로 가장 적절한 것은?

① 궂은일에 앞장서서 솔선수범하는 인물
② 어려운 처지에 빠진 사람들을 돕는 인물
③ 부를 과시하고 위선적인 면이 있는 인물
④ 환경을 생각하고 생명을 소중히 여기는 인물
⑤ 아랫사람들의 잘못을 덮어 주는 너그러운 인물

05 이 글에서 웃음을 유발하는 요인으로 적절하지 않은 것은?

① 화가 난 총수를 태연하게 대하는 유자의 태도
② 죽은 비단잉어로 음식을 해 먹은 유자의 행동
③ 자신의 운전사인 유자에게 조롱당하는 총수의 상황
④ 비단잉어가 죽은 진짜 이유를 알지 못하는 유자의 어리석음
⑤ '벨어낸벤또', '차에코풀구싶어'와 같이 대상에 대한 우스꽝스러운 표현

06 '유자'가 '총수'의 승용차 운전석을 떠나고 싶어 하는 이유로 적절한 것은?

① 돈을 더 많이 주는 곳으로 옮기고 싶어져서
② 운전이 힘들어서 이제는 그만두고 쉬고 싶어져서
③ 총수가 이것저것 하라면서 시키는 일이 많아져서
④ 운전보다는 사무실에 앉아서 일을 하고 싶어져서
⑤ 위선자인 총수 밑에서 일한다는 것이 부끄러워져서

07 ㉠~㉤의 문맥적 의미로 적절하지 않은 것은?

① ㉠ 움둑가지 같은: 괴상한
② ㉡ 흘기눈을 떴다: 못마땅해하였다
③ ㉢ 부쩌지를 못하였다: 어찌할 바를 몰랐다
④ ㉣ 뒷동을 달은: 이야기의 뒤를 이은
⑤ ㉤ 따따부따해 봤자: 협상을 해 봤자

08 보기는 이 글의 처음 부분이다. 보기를 참고할 때, 이 글에 대한 설명으로 가장 적절한 것은?

보기

그의 이름은 유재필이다. 1941년 홍성군 광천에서 태어나 보령군 대천에 와서 자라고 배웠다. 그리고 그 나머지는 서울에서 살았다. 그는 어려서부터 타고난 총기와 슷기로 또래에서 별쭝맞고 무리에서 두드러진 바가 있어, 비색한 기운과 불우한 환경 속에서도 여러모로 일찍 터득하고 앞서 나아감에 따라 소년 시절은 장히 숙성하고, 청년 시절은 자못 노련하고, 장년에 들어서서는 속절없이 노성하였으니, 무릇 이것이 그가 보통 사람 가운데서도 항상 깨어 있는 삶을 살게 된 바탕이었다.

① 인물의 행적보다는 내면 심리 위주로 전개하고 있다.
② 인물이 이룬 뛰어난 업적을 차례대로 서술하고 있다.
③ 인물이 자신의 경험을 통해 얻은 깨달음을 밝히고 있다.
④ 인물의 일대기를 기록하는 '전(傳)'의 양식을 취하고 있다.
⑤ 인물의 목소리를 통해 당시 사회의 모순을 직접적으로 비판하고 있다.

8문제 중에
_______문제 맞혔어!

02

장마

윤흥길

인물 외할머니, 외삼촌

외삼촌은 국군 소위로 전쟁에 나갔다가 죽고, 외할머니는 아들이 죽은 게 빨갱이 때문이라며 친할머니와 갈등하게 됨.

인물 할머니, 삼촌

빨치산인 삼촌은 자수하려다가 도망가고, 친할머니는 무당의 말을 듣고 삼촌이 돌아올 것이라고 굳게 믿음.

소재 구렁이

사건 '삼촌'이 돌아오기로 한 날 '구렁이'가 나타남.

구렁이를 삼촌이라고 생각한 할머니는 구렁이를 보자 삼촌이 죽었다는 생각에 쓰러지고, 외할머니가 할머니 대신 구렁이를 달래어 보냄.

인물 '나'(동만)

지금은 어른이 된 서술자로, 과거 어린아이의 눈으로 외할머니와 친할머니 사이에 있었던 일을 회상하고 있음.

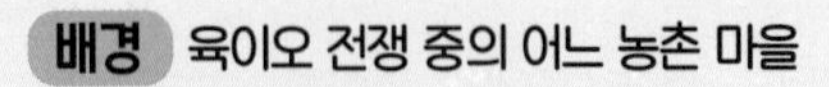

배경 육이오 전쟁 중의 어느 농촌 마을

읽기 포인트» 삼촌 대신 나타난 '구렁이'의 의미와, 구렁이를 보고 쓰러진 할머니를 대신하여 구렁이를 달래어 내보내는 외할머니의 행동에 담긴 의미를 생각하며 읽어 보자.

#1 외할머니의 몸이 구렁이가 친친 감긴 늙은 감나무 바로 밑에 똑바로 서 있는데도 아무 일도 일어나지 않자, 그때까지 숨을 죽여 가며 지켜보던 많은 사람들 입에서 저절로 한숨이 새어 나왔다. 바로 머리 위에서 불티(타는 불에서 튀는 작은 불똥.)처럼 박힌 앙증스러운 눈깔을 요모조모로 빛내면서 자꾸 대가리를 숙여 까딱까딱 위협을 주는 커다란 구렁이를 보고도 외할머니는 조금도 두려워하지 않았다. 외할머니는 두 손을 천천히 가슴 앞으로 모아 합장했다(두 손바닥을 합하였다.).

"에구 이 사람아, 집안일이 못 잊어서 이렇게 먼 길을 찾어왔능가?"

꼭 울어 보채는 아이한테 자장가라도 불러 주는 투로 조용히 속삭이는 그 말을 듣고 누군가 큰 소리로 웃는 사람이 있었다. 그러자 외할머니의 눈이 단박에(그 자리에서 바로.) 세모꼴로 변했다.

"어떤 창사구('창자'의 방언.) 빠진 잡놈이 그렇게 히득거리고(거볍고 실없이 자꾸 웃고.) 섰냐? 누구냐? 어서 이리 썩 나오니라. 주리 댈 놈!"

외할머니의 대갈 호령(가슴속에서부터 터져 나오는 듯한 큰 소리로 외쳐서 꾸짖음.)에 사람들은 쥐 죽은 소리도 못 했다. 외할머니는 몸을 돌려 다시 구렁이를 상대로 했다.

"자네 보다시피 노친께서는 기력이 여전허시고 따른 식구덜도 모다덜 잘 지내고 있네. 그러니께 집안일일랑 아모 염려 말고 어서어서 자네 가야 헐 디로 가소."

✰ 구렁이는 움쩍도 하지 않았다. 철사 토막 같은 혓바닥을 날름거리면서 대가리만 두어 번 들었다 놓았다 했다.

"가야 헐 디가 보통 먼 길이 아닌디 여그서 이러고 충그리고만(움직이지 않고 꾸물거리거나 머뭇거리고만.) 있어서야 되겄능가? 자꼬 이러면은 못쓰네, 못써. 자네 심정은 내 짐작을 허겄네만 집안 식구덜 생각도 혀야지. 자네 노친 양반께서 자네가 이러고 있는 꼴을 보면 얼매나 가슴이 미여지겄능가?"

✰ 외할머니는 꼭 산 사람을 대하듯 위를 올려다보면서 조용조용히 말을 건네고 있었다.

하지만, 아무리 간곡한 말씨로 거듭 타일러 봐도 구렁이는 좀처럼 움직일 기척을 안 보였다. 이때 울타리 너머에서 어떤 아낙네가 뱀을 쫓는 방법을 일러 주었다. 모습은 안 보이고 목소리만 들리는 그 여자는 머리카락을 태워 냄새를 피우면 된다고 소리쳤다.

✶ 별별 포인트 ✶

< '구렁이'의 등장과 '외할머니'의 대응 >

'구렁이'의 등장
죽은 삼촌이 한이 맺혀 구렁이가 되어 나타났다고 여김.

⇑

'외할머니'의 대응
삼촌의 원한을 풀어 주려고 구렁이를 달램.

→ 외할머니는 토속적 신앙을 바탕으로 구렁이를 죽은 삼촌이라고 믿고 달래고 있음.

#1 핵심 태그

외할머니가 구렁이를 죽은 삼촌으로 여기고 달래지만 꼼짝도 않는 #

★ 별별 포인트 ★

< '외할머니'가 한 행동의 의미 >

- 할머니의 머리카락을 태워 구렁이(삼촌)의 한을 풀어 줌.
- 할머니 대신 구렁이를 사람(삼촌) 대하듯이 달래어 배웅함.

↓

가족적 의미

가족애를 통해 가족의 상처를 치유함.

↓ 확대

민족적 의미

같은 민족 사이에 일어난 육이오 전쟁이라는 비극을 민족적 이해와 사랑으로 극복할 수 있음을 보여 줌.

#2 외할머니의 지시에 나는 할머니의 머리카락을 얻으러 안방으로 달려갔다.

"자네 오면 줄라고 노친께서 여러 날 들여 장만헌 것일세. 먹지는 못헐망정 눈요구라도 허고 가소. 다아 자네 노친 정성 아닌가? 내가 자네를 쫓을라고 이러는 건 아니네. 그것만은 자네도 알어야 되네. 남새가 나드라도 너무 섭섭타 생각 말고, 집안일일랑 아모 걱정 말고 머언 걸음 부데 펜안히 가소."

- 눈요구: '눈요기'의 방언.
- 노친: 늙은 부모.

이야기를 다 마치고 외할머니는 불씨가 담긴 그릇을 헤집었다. 그 위에 할머니의 흰머리를 올려놓자, 지글지글 끓는 소리를 내면서 타오르기 시작했다. 단백질을 태우는 노린내가 멀리까지 진동했다. 그러자 눈앞에서 벌어지는, 그야말로 희한한 광경에 놀라 사람들은 저마다 탄성을 올렸다. 외할머니가 아무리 타일러도 그때까지 움쩍도 하지 않고 그토록 오랜 시간을 버티던 그것이 서서히 움직이기 시작한 것이다. 감나무 가지를 친친 감았던 몸뚱이가 스르르 풀리면서 구렁이는 땅바닥으로 툭 떨어졌다. 떨어진 자리에서 잠시 머뭇거린 다음, 구렁이는 꿈틀꿈틀 기어 외할머니 앞으로 다가왔다. 외할머니가 한쪽으로 비켜서면서 길을 터 주었다. 이리저리 움직이는 대로 뒤를 따라가며 외할머니는 연신 소리를 질렀다. 새막에서 참새 떼를 쫓을 때처럼

- 움쩍: 몸을 움츠리거나 펴거나 하며 크게 한 번 움직이는 모양.
- 새막: 곡식이 익을 무렵 새를 쫓기 위해 논밭가에 지은 막.

"숴이! 숴이!"

하고 소리를 지르면서 손뼉까지 쳤다. 누런 비늘 가죽을 번들번들 뒤틀면서 그것은 소리 없이 땅바닥을 기었다. 안방에 있던 식구들도 마루로 몰려나와 마당 한복판을 가로질러 오는 기다란 그것을 모두 질린 표정으로 내려다보고 있었다. 꼬리를 잔뜩 사려 가랑이 사이에 감춘 워리란 놈이 그래도 꼴값을 하느라고 마루 밑에서 다 죽어 가는 소리로 짖어 대고 있었다. 몸뚱이의 움직임과는 여전히 따로 노는 꼬리 부분을 왼쪽으로 삐딱하게 흔들거리면서 그것은 방향을 바꾸어 헛간과 부엌 사이 공지를 천천히 지나갔다.

"숴이! 숴어이!"

외할머니의 쉰 목청을 뒤로 받으며 그것은 우물 곁을 거쳐 넓은 뒤란을 어느덧 완전히 통과했다. 다음은 숲이 우거진 대밭이었다.

- 뒤란: 집 뒤 울타리의 안.

"고맙네, 이 사람! 집안일은 죄다 성님한티 맽기고 자네 혼자 몸띵이나 지발 성혀서 먼 걸음 펜안히 가소. 뒷일은 아모 염려 말고 그저 펜안히 가소. 증말 고맙네, 이 사람아."

장마철에 무성히 돋아난 죽순과 대나무 사이로 모습을 완전히 감추기까지 외할머니는 우물 곁에 서서 마지막 당부의 말로 구렁이를 배웅하고 있었다.

#2 핵심 태그

______ 의 머리카락(흰머리)을 태우자 움직이는 구렁이를 배웅하는 외할머니

#3 "고맙소."

정기가 꺼진 우묵한 눈을 치켜 간신히 외할머니를 올려다보면서 할머니는 목이 꽉 메었다.

"사분도 별시런 말씀을 다……." / 외할머니도 말끝을 마무르지 못했다.
'사돈'의 방언.

"야한티서 이얘기는 다 들었소. 내가 당혀야 헐 일을 사분이 대신 맡었구랴. 그 험헌 일을 다 치르노라고 얼매나 수고시렀으꼬?"

"인자는 다 지나간 일이닝게 그런 말씀 고만두시고 어서어서 몸이나 잘 추시리기라우." / "고맙소. 참말로 고맙구랴."

✰ 할머니가 손을 내밀었다. 외할머니가 그 손을 잡았다. 손을 맞잡은 채 두 할머니는 한동안 말을 잇지 못했다. 그러다가 할머니 쪽에서 먼저 입을 열어 아직도 남아 있는 근심을 털어놓았다.

"탈없이 잘 가기나 혔는지 몰라라우."

"염려 마시랑게요. 지금쯤 어디 가서 펜안히 거처험시나 사분댁 터주 노릇을 톡톡이 하고 있을 것이오."
집터를 지키는 대지와 토지의 신.

그만한 이야기를 나누는 데도 대번에 기운이 까라져 할머니는 가쁜 숨을 몰아쉬었다. 가까스로 할머니가 잠들기를 기다려 구완을 맡은 고모만을 남기고 모두들 큰방을 물러나왔다.
기운이 빠져 축 늘어져. / 아픈 사람을 간호함.

그 날 저녁에 할머니는 또 까무러쳤다. 의식이 없는 중에도 댓 숟갈 흘려 넣은 미음과 탕약을 입 밖으로 죄다 토해 버렸다. 그리고 이튿날부터는 마치 육체의 운동장에서 정신이란 이름의 장난꾸러기가 들어왔다 나갔다 숨바꼭질하기를 수없이 되풀이하는 것 같은 고통의 시간의 연속이었다. 대소변을 일일이 받아내는 고역을 치러 가면서 할머니는 꼬박 한 주일을 더 버티었다. 안에 있는 아들보다 밖에 있는 아들을 언제나 더 생각했던 할머니는 마지막 날 밤에 다 타 버린 촛불이 스러지듯 그렇게 눈을 감았다. 할머니의 긴 일생 가운데서, 어떻게 생각하면, 잠도 안 자고 먹지도 않고 그러고도 놀라운 기력으로 며칠 동안이나 식구들을 들볶아 대면서 삼촌을 기다리던 그 짤막한 기간이 사실은 꺼지기 직전에 마지막 한순간을 확 타오르는 촛불의 찬란함과 맞먹는, 할머니에겐 가장 자랑스럽고 행복에 넘치던 시간이었었나 보다. ✰ 임종의 자리에서 할머니는 내 손을 잡고 내 지난날을 모두 용서해 주었다. 나도 마음속으로 할머니의 모든 걸 용서했다.
몹시 힘들고 고되어 견디기 어려운 일. / 형체나 현상 따위가 차차 희미해지면서 없어지듯. / 죽음을 맞이함.

✰ 정말 지루한 장마였다.

✶ 별별 포인트 ✶

< 이 글의 주제 의식과 결말의 특징 >

주제 의식
- 할머니와 외할머니의 화해
- '나'에 대한 할머니의 용서

→ 민족 간의 갈등은 우리 민족의 정서적 합일을 통한 용서, 화해로 해결될 수 있음.

결말의 특징
"정말 지루한 장마였다."

→ 한 줄 띄어져 있어 여운을 주며, 장마가 끝났다는 것은 육이오 전쟁의 종결을 상징함.

#3 핵심 태그
할머니는 외할머니와 화해하고 '나'를 용서한 후 죽고, 지루한 # 도 끝이 남

작품 줄거리 요약하기

앞부분 줄거리

육이오 전쟁이 일어나자 '나'의 외가 식구들이 '나'의 집으로 피란을 오면서 외가와 친가 식구들이 모두 한집에 살게 된다. 그러던 어느 날 '나'가 낯선 사람에게 삼촌이 집에 왔었다는 사실을 말한 일로 할머니의 분노를 사게 되고, 그런 '나'를 외할머니가 감싸면서 국군 아들을 둔 외할머니와 빨치산 아들을 둔 할머니 사이에 금이 가기 시작한다.

그러다가 외삼촌의 전사 소식이 전해지자 외할머니는 빨갱이를 저주하는 말을 퍼붓고 이를 들은 할머니와 큰 싸움을 벌인다.

빨치산인 삼촌이 몰래 집에 왔던 날, 친가 식구들의 설득에 삼촌은 자수할 것을 결심한다. 하지만 문밖에서 인기척이 나자 삼촌은 도망가 버린다. 그 후 빨치산과 국군의 전투가 벌어지고 가족들은 삼촌이 죽었을 것이라고 체념한다. 그러나 할머니만은 점쟁이에게서 들은 '아무 날 아무 시'에 삼촌이 살아 돌아온다는 말을 믿고 삼촌을 맞이할 준비를 한다.

제시 장면 줄거리

삼촌이 돌아올 것이라고 점쟁이가 알려 준 날 집에 커다란 1 ☐☐☐ 가 나타나자 할머니는 삼촌이 죽어 구렁이로 나타났다고 생각하여 기절한다. 2 ☐☐☐☐ 는 쓰러진 할머니를 대신하여 구렁이를 극진히 대접하며 달래어 떠나보낸다. 할머니는 정신이 든 후 이 사실을 듣고 외할머니와 화해한다.

할머니는 일주일을 앓다가 '나'가 저지른 잘못을 용서하며 임종한다. '나'도 마음속으로 할머니를 용서하고, 지루했던 장마가 끝이 난다.

오엑스 확인 문제

01 이 글에 대한 설명으로 맞으면 ○표, 틀리면 ×표를 하시오.

- **인물** 구렁이를 달래는 사람은 친할머니이다. ( )
- **사건** 할머니와 외할머니는 두 손을 맞잡고 화해한다. ( )
- **배경** '나'의 외가 식구와 친가 식구는 한집에서 살고 있다. ( )
- **소재** 외할머니는 구렁이를 보내기 위해 '나'의 머리카락을 태운다. ( )

02 '구렁이'에 대한 설명으로 적절하지 <u>않은</u> 것은?

① 집안 식구들을 위협하는 대상이다.
② 육이오 전쟁으로 인한 희생자이다.
③ 민족의 비극을 보여 주는 실체이다.
④ 죽은 삼촌이라고 여겨지는 동물이다.
⑤ 두 할머니의 갈등을 해소하는 실마리이다.

별별 포인트

03 보기를 참고할 때, '외할머니'가 '구렁이'를 타일러 보내려 한 이유로 가장 적절한 것은?

> 보기
> 우리나라의 토속 신앙에서는 원한이 많은 사람이 죽으면 저승으로 가지 못하고 이승을 떠돈다고 생각한다.

① 삼촌의 죽음을 확인하기 위해서
② 집을 지키는 신을 대접하기 위해서
③ 영혼을 잘 대접하여 복을 받기 위해서
④ 삼촌이 이승을 떠나지 못하게 하기 위해서
⑤ 삼촌의 영혼을 저승으로 편안히 보내 주기 위해서

별별 포인트

04 보기에 해당하는 소재를 찾아 2어절로 쓰시오.

보기
- 구렁이의 원한을 풀어 움쩍도 하지 않던 구렁이를 움직이게 함.
- 아들에 대한 어머니의 사랑을 상징함.

___

05 이 글에 대한 설명으로 적절한 것은?

① 할머니의 자식들은 모두 전쟁에 나갔다.
② 할머니는 끝까지 '나'를 용서하지 않는다.
③ 장마가 끝나고 외할머니는 임종을 맞이한다.
④ 할머니는 삼촌이 어딘가에 살아 있다고 믿는다.
⑤ 어린아이인 '나'가 두 할머니의 이야기를 전한다.

별별 포인트

06 '할머니'와 '외할머니'의 갈등과 화해를 다음과 같이 정리할 때, 적절하지 않은 것은?

㉠ 갈등의 원인		㉡ 갈등의 해소
외삼촌은 국군이고, 삼촌은 빨치산임.	→	외할머니가 한 행동을 할머니가 알게 됨.

① ㉠은 자식에 대한 어머니의 사랑 때문이다.
② ㉠의 가족적 의미는 민족적 의미로 확대된다.
③ ㉡에서 외할머니가 할머니를 끝까지 구완한다.
④ ㉡에서 외할머니는 할머니를 안심시키고 있다.
⑤ ㉡에서 할머니는 외할머니에게 고마워하고 있다.

별별 포인트

07 이 소설의 마지막 문장에 대한 설명으로 적절하지 않은 것은?

정말 지루한 장마였다.

① 상징적인 배경을 제시하여 여운을 남긴다.
② 장마 기간 동안 사건이 일어났음을 의미한다.
③ 등장인물 간에 새로운 갈등이 일어날 것임을 암시한다.
④ 장마가 끝났다는 것은 육이오 전쟁이 끝났음을 의미한다.
⑤ 장마가 실제보다 더 길게 느껴졌으며 힘든 시간이었음을 나타낸다.

08 보기와 같이 이 글의 작가에게 질문을 했다면 밑줄 친 부분에 들어갈 대답으로 가장 적절한 것은?

보기
사회자: 이 글을 통해 독자에게 어떤 메시지를 전달하고 싶으셨습니까?
작가: 이념의 대립을 겪고 있는 우리 민족의 현실을 생각하고, ___

① 이념의 대립을 사실적이고 직접적으로 다루고자 했습니다.
② 죄 없는 사람들이 죽는 전쟁의 참혹함을 드러내고자 했습니다.
③ 민족 고유의 정서를 통해 민족의 상처를 치유할 수 있음을 알리고자 했습니다.
④ 이념 대립을 해소하는 것이 가족의 화목을 지키는 것보다 중요함을 말하고자 했습니다.
⑤ 남북의 대립으로 인한 우리 민족의 상처는 쉽게 씻어 낼 수 없음을 표현하고자 했습니다.

8문제 중에
___ 문제 맞혔어!

03

자전거 도둑

박완서

배경 1970년대, 서울 청계천 세운 상가

소재 자전거

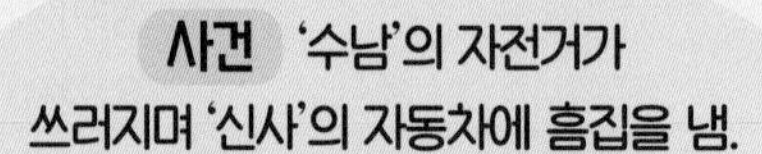

사건 '수남'의 자전거가 쓰러지며 '신사'의 자동차에 흠집을 냄.

신사는 수남이의 자전거에 자물쇠를 채우고 수리비를 물지 않으면 자전거를 돌려주지 않겠다고 함.

인물 신사

사건 '수남'이 자전거를 들고 도망침.

수남이는 신사에게 빌어도 소용없자 자물쇠가 채워진 자전거를 들고 도망침.

인물 주인 영감

소재 누런 똥빛

수남이는 도망쳐 온 자신을 칭찬하는 주인 영감의 얼굴에서 '누런 똥빛'을 보고, 주인 영감이 도둑놈 두목 같아서 정이 떨어짐.

인물 수남

자전거를 들고 도망친 일을 도둑질로 여겨 갈등하다가, 자신을 도덕적으로 이끌어 줄 아버지가 있는 고향으로 돌아가기로 함.

읽기 포인트» 수남이는 자동차 수리비를 요구하는 신사에게서 자전거를 들고 도망친다. 수남이가 이 일로 고민하는 이유와 그 고민을 어떻게 해결하고 있는지 파악하며 읽어 보자.

#1 "인마, 네놈의 자전거가 쓰러지면서 내 차를 들이받았단 말이야. 이런 고급 차를 말이야. 이런 미련한 놈, 왜 눈은 째려, 째리긴. 그러니 내 차에 흠이 안 나고 배겼겠냐. 내 차는 인마, 여자들 손톱만 살짝 닿아도 생채기가 나는 고급 차야 인마, 알간?"

인마: '이놈아'가 줄어든 말.
생채기: 손톱 등으로 할퀴이거나 긁히어서 생긴 작은 상처.

그러고는 거울처럼 티 하나 없이 번들대는 차체를 면밀히 훑어보더니 "그러면 그렇지." 하고 환성을 질렀다. 아마 생채기를 찾아낸 모양이다.

차체: 기차나 자동차 등의 몸체.
환성: 기쁘고 반가워서 지르는 소리.

"일은 컸다. 인마, 칠만 살짝 긁혔어도 또 모르겠는데 여 봐라, 여기가 이렇게 우그러지기까지 했으니 일은 컸다, 컸어."

우그러지기까지: 물체가 안쪽으로 우묵하게 휘어지기까지.

신사가 덩칫값도 못하게 팔짝팔짝 뛰면서, 잘 봐 두라는 듯이 수남이의 얼굴을 차에다 바싹 밀어붙였다. / 수남이는 차체에 비친 울상이 된 자기 얼굴을 볼 수 있을 뿐이었다. 꼭 오늘 재수 옴 붙은 일이 날 것 같더라만 이런 끔찍한 일이 일어나고 말았구나. 울음이 왈칵 솟구친다. 그러자 제 얼굴도, 차체의 흠도 아무것도 안 보이고 온 세상이 부옇게 흐려 보일 뿐이다.

"울긴, 인마. 너 한 달에 얼마나 버냐?"

신사의 목청이 다분히 누그러지며 목소리에 연민이 담긴 것을 수남이는 재빨리 알아차린다. 그러자 흑흑 소리까지 내어 운다.

연민: 불쌍하고 가련하게 여김.

"울긴 짜아식, 할 수 없다. 너나 나나 오늘 재수 옴 붙은 걸로 치고 반반씩 손해 보자. 오천 원만 내."

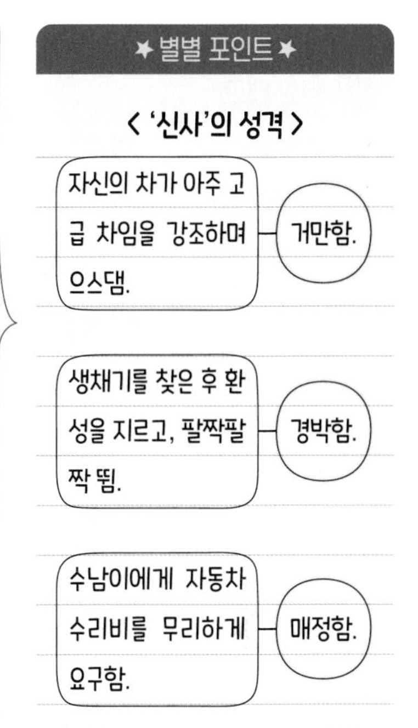

수남이는 너무 놀라 울음까지 끄르륵 삼키고 신사를 쳐다본다. 그사이 사람들이 큰 구경이나 난 것처럼 모여들어 신사와 수남이를 에워싼다.

누군가가 뒤에서 "빌어, 이놈아. 그저 잘못했다고 무조건 빌어." 하고 속삭인다. 수남이는 여러 사람이 자기를 동정하고 있다고 느끼자 적이 용기가 난다.

"아저씨, 잘못했습니다. 한 번만 용서해 주십시오. 네, 아저씨."

제법 또렷한 소리로 용서를 빈다.

"용서라니, 이만큼 했으면 됐지 어떻게 더 용서를 해."

"아저씨, 그러시지 말고 한 번만 봐주셔요. 네, 아저씨."

수남이는 주머니에 든 만 원을 생각하면 얼굴이 화끈대고 공연히 무섭기까지 하다. 그렇지만 주인 영감님을 위해 그 돈만은 죽기를 무릅쓰고 지킬 각오를 단단히 한다.

공연히: 아무 까닭 없이.

"아니 욘석이 이제 보니 이런 큰일을 저지르고 그냥 내뺄 심사 아냐? 요런 악질 녀석 같으니라고."

마음속으로 생각하는 일. 또는 그 생각.

신사의 표정은 은은히 감돌던 연민이 싹 가시고 점잖게 무표정해진다.

그러고는 옆에 섰던 운전사인 듯한 남자에게,

"안 되겠네. 요런 악질 깡패 녀석하고 시비해 봤댔자 공연히 시간만 낭비니, 자네 자물쇠 하나 마련해다 주게. 이 녀석 자전걸 잡아 놓기로 하세. 언제든지 오천 원 가져와서 찾아가라고."

#1 핵심 태그

수남이의 # ______ 가 쓰러지면서 생긴 자동차 흠집의 수리비를 요구하는 신사

#2 "도망가라, 어서어서 자전거를 번쩍 들고 도망가라, 도망가라."

수남이는 자기편이 되어 준 이 많은 사람들을 도저히 배반할 수 없었다. 이상한 용기가 솟았다. 수남이는 자전거를 마치 검부러기처럼 가볍게 옆구리에 끼고 질풍같이 달렸다.

가느다란 마른 나뭇가지, 마른 풀, 낙엽의 부스러기. / 몹시 빠르고 거세게 부는 바람.

정말이지 조금도 안 무거웠다. 타고 달릴 때보다 더 신나게 달렸다. 달리면서 마치 오래 참았던 오줌을 시원스레 내깔기는 듯한 쾌감까지 느꼈다.

상쾌하고 즐거운 느낌.

주인 영감님은 자전거를 옆에 끼고 질풍처럼 달려온 놈을 눈을 휘둥그렇게 뜨고 바라볼 뿐이었다. 오늘 바람이 세더니만 필시 이 조그만 놈이 바람에 날아왔나, 설마 그럴 리야 없을 텐데 내 눈이 어떻게 된 것인가 그런 눈치였다.

수남이는 너무 숨이 차서 이런 주인 영감님의 궁금증을 시원히 풀어 주지 못하고 한동안 헉헉대기만 한다.

"인마, 말을 해. 무슨 일이야? 네놈 꼴이 영락없이 도둑놈 꼴이다, 인마."

도둑놈 꼴이라는 소리가 수남이의 가슴에 가시처럼 걸린다. 수남이는 겨우 숨을 가라앉히고 자초지종을 주인 영감님께 고해바친다. 다 듣고 난 주인 영감님은 무엇이 그리 좋은지 무릎을 치면서 통쾌해한다.

처음부터 끝까지의 과정. / 아주 즐겁고 시원하여 유쾌해한다.

"잘했다, 잘했어. 만날 촌놈인 줄만 알았더니 제법인데, 제법이야."

그러고는 가게에서 쓰는 드라이버니 펜치를 가지고 자전거에 채운 자물쇠를 분해하기 시작한다. 엎드려서 그 짓을 하고 있는 주인 영감님이 수남이의 눈에 흡사 도둑놈 두목 같아 보여 속으로 정이 떨어진다. 주인 영감님 얼굴이 ✯누런 똥빛인 것조차 지금 깨달은 것 같아 속이 메스껍다.

태도나 행동이 비위에 거슬리게 몹시 아니꼽다.

마침내 자물쇠를 깨뜨렸나 보다. 영감님 얼굴에 회심의 미소가 떠오르더니 자유롭게 된 자전거 바퀴를 시험이라도 하려는 듯이 자전거로 골목을 한 바퀴 빙그르르 돌아 들어와서는, / "네놈 오늘 운 텄다."

마음에 흐뭇하게 들어맞음. 또는 그런 상태의 마음.

✶ 별별 포인트 ✶

< '누런 똥빛'의 의미 >

누런 똥빛

⇓

- 수남이가 자전거를 훔쳐 달아난 일을 칭찬하는 주인 영감의 얼굴빛
- 자전거를 들고 도망친 일로 고민하는 수남이의 얼굴

⇓

비양심성, 부도덕성

#2 핵심 태그

자전거를 훔쳐 도망친 일을 칭찬하는 주인 영감의 얼굴이 누런 # ______ 임을 깨닫는 수남

가이드북 8쪽

#3 낮에 내가 한 짓은 옳은 짓이었을까? 옳을 것도 없지만 나쁠 것은 또 뭔가. 자가용까지 있는 주제에 나 같은 아이에게 오천 원을 우려내려고 그렇게 간악하게 굴던 신사를 그 정도 골려 준 것이 뭐가 나쁜가? 그런데도 왜 무섭고 떨렸던가. 그때의 내 꼴이 어땠으면, 주인 영감님까지 "네놈 꼴이 꼭 도둑놈 꼴이다."라고 하였을까. / ✰그럼 내가 한 짓은 도둑질이었단 말인가. 그럼 나는 도둑질을 하면서 그렇게 기쁨을 느꼈더란 말인가.

간악하게: 마음이 바르지 않고 흉하고 독하게.

수남이는 몸을 부르르 떨면서 낮에 자전거를 갖고 달리면서 맛본 공포와 함께 그 까닭 모를 쾌감을 회상한다. 마치 참았던 오줌을 내깔길 때처럼 무거운 억압이 갑자기 풀리면서 전신이 날아갈 듯이 가벼워지는 그 상쾌한 해방감 — 한번 맛보면 도저히 잊힐 것 같지 않은 그 짙은 쾌감, 아아 도둑질하면서도 나는 죄책감보다는 쾌감을 더 짙게 느꼈던 것이다.

죄책감: 저지른 잘못에 대하여 책임을 느끼는 마음.

✰혹시 내 피 속에 도둑놈의 피가 흐르고 있기 때문이 아닐까. 순간 수남이는 방바닥에서 송곳이라도 치솟은 듯이 후다닥 일어서서 안절부절못하고 좁은 방 안을 헤맸다. 〈중략〉

안절부절못하고: 마음이 초조하고 불안하여 어찌할 바를 모르고.

✭ 별별 포인트 ✭

〈 '수남'의 내적 갈등 〉

도덕성
자신이 한 일이 도둑질이라는 생각과 도둑질을 하면서 쾌감을 느낀 것에 대한 죄책감

부도덕성
자신에게 간악하게 굴던 신사를 골려 준 일이 뭐가 나쁘냐는 생각

#3 핵심 태그

낮에 #   을 하면서 쾌감을 느꼈던 일 때문에 안절부절못하는 수남

#4 아버지는 화병으로 몸져눕고 집안 형편은 말이 아니었다. 수남이는 드디어 어느 날 형이 그랬던 것처럼 서울 가서 돈 벌어 오겠다고 집을 나섰다. 아버지는 말리지 않았다. 문지방을 짚고 일어나 앉아서 띄엄띄엄 수남이를 타일렀다.

화병: 억울하여 머리가 아프고 가슴이 답답하여 잠을 못 자는 병.

"무슨 짓을 하든지 그저 도둑질을 하지 마라, 알았쟈."

그런데 도둑질을 하고 만 것이다. 하지만 수남이는 스스로 그것을 결코 도둑질이 아니었다고 변명을 한다.

그런데 왜 그때, 그렇게 떨리고 무서우면서도 짜릿하니 기분이 좋았던 것인가? 문제는 그때의 그 쾌감이었다. 자기 내부에 도사린 부도덕성이었다. 오늘 한 짓이 도둑질이 아닐지 모르지만 앞으로 도둑질을 할지도 모르겠다는 생각이 들었다. 형의 일이 자기와 정녕 무관한 일이 아니란 생각이 들었다.

소년은 아버지가 그리웠다. 도덕적으로 자기를 견제해 줄 어른이 그리웠다. 주인 영감님은 자기가 한 짓을 나무라기는커녕 손해 안 난 것만 좋아 "오늘 운 텄다."라고 좋아하지 않았던가.

견제해: 지나치게 세력을 펴거나 자유롭게 행동하지 못하게 억누름.

수남이는 짐을 꾸렸다. 아아, 내일도 바람이 불었으면. 바람이 물결치는 보리밭을 보았으면. / 마침내 결심을 굳힌 수남이의 얼굴은 누런 똥빛이 말끔히 가시고, 소년다운 청순함으로 빛났다.

#4 핵심 태그

자신을 도덕적으로 견제해 줄 어른인 #   에게 돌아가기로 한 수남

작품 줄거리 요약하기

앞부분 줄거리

수남이는 청계천 세운 상가의 전기용품 도매상에서 일하는 열여섯 살짜리 점원이다. 주인 영감은 수남이를 혹사하며 부려 먹지만, 수남이는 이를 모르고 주인 영감에게 고마워하며 부지런히 일한다.

바람이 심하게 불던 날 ×× 상회로 배달을 간 수남이는 ×× 상회 주인이 물건값을 주지 않으려고 하는 것을 악착같이 버텨서 결국 물건값을 받아 낸다.

제시 장면 줄거리

수남이가 물건값을 받는 동안 세워 둔 자전거가 바람에 넘어져 신사의 1 [ ] 에 흠집을 내자 신사는 차 수리비를 가져오라며 수남이의 자전거에 자물쇠를 채운다. 구경하던 사람들의 부추김에 수남이는 2 [   ] 를 들고 도망치며 쾌감을 느낀다.

가게로 돌아온 수남이는 자신의 행동을 칭찬하는 주인 영감에게 거부감을 느끼고, 낮에 자신이 한 행동을 떠올리며 괴로워한다.

중략 부분 줄거리

수남이는 서울 가서 성공해서 돌아오겠다던 형이, 2년 만에 돌아오면서 빈손으로 올 수 없어 읍내에서 돈과 물건을 훔친 일을 떠올린다. 그러면서 자신에게 도둑놈의 피가 흐르는 것이 아닌지 고민한다.

제시 장면 줄거리

수남이는 자신이 한 일에 양심의 가책을 느끼고 자신을 도덕적으로 이끌어 줄 3 [   ] 가 있는 고향으로 돌아가기로 결심하고 짐을 꾸린다.

오엑스 확인 문제

01 이 글에 대한 설명으로 맞으면 ○표, 틀리면 ×표를 하시오.

- 인물: 수남이는 주인 영감의 가게에서 일하고 있다. ( )
- 사건: 수남이는 자전거를 타고 가다가 신사의 차에 부딪쳤다. ( )
- 배경: 수남이는 서울에서 돈을 벌고 있다. ( )
- 소재: 수남이는 주인 영감의 '누런 똥빛' 얼굴을 보고 정이 떨어진다. ( )

별별 포인트

02 '신사'의 성격으로 적절한 것은?

① 점잖고 너그럽다.
② 용기 있고 정의롭다.
③ 조용하고 무뚝뚝하다.
④ 이성적이고 날카롭다.
⑤ 경박하고 인정이 없다.

03 '신사'와 '수남' 사이의 갈등 양상을 정리한 내용으로 적절하지 않은 것은?

갈등 종류	인물과 인물 간의 외적 갈등 ··········· ①
갈등 주체	신사와 수남이 ··························· ②
갈등 원인	수남이의 자전거가 쓰러지면서 신사의 차를 들이받음. ··························· ③
갈등 전개	신사는 수남이에게 차 수리비를 요구하며 자전거를 잡아 놓음. ················ ④
갈등 해결	수남이는 신사에게 끝까지 용서를 빌고 신사는 수남이를 용서함. ·············· ⑤

04 이 글에서 알 수 있는 내용이 아닌 것은?

① 수남이는 돈을 벌기 위해 집을 나온 것이다.
② 수남이는 자전거를 타고 신사에게서 도망친다.
③ 수남이는 주머니에 있는 돈을 지키려고 신사에게 빈다.
④ 주인 영감은 수남이의 이야기를 듣고 수남이를 칭찬한다.
⑤ 구경꾼들은 수남이에게 빌라고 하거나 도망치라고 하는 등 수남이를 부추긴다.

05 다음은 '주인 영감'이 '수남'에게 한 말이다. 설명으로 적절하지 않은 것은?

> "네놈 오늘 운 텄다."

① 수남이의 생각과는 상반되는 말이다.
② 주인 영감의 부도덕성이 드러나는 말이다.
③ 수남이를 걱정하는 마음이 담겨 있는 말이다.
④ 금전적 손해를 보지 않았기 때문에 한 말이다.
⑤ 자전거 사건에 대한 주인 영감의 생각이 드러나는 말이다.

별별 포인트

06 #3에서 '수남'이 갈등하는 내용으로 가장 적절한 것은?

① 언제까지 계속 일을 하며 공부를 할 것인가?
② 자전거를 들고 도망친 자신의 행동은 옳은 일인가?
③ 간악하게 굴던 신사를 더 골려 줄 방법은 무엇인가?
④ 자전거를 강제로 빼앗은 신사 또한 도둑이라고 볼 수 있지 않은가?
⑤ 주인 영감에게 사실대로 말하고 자동차 수리비를 물어주러 갈 것인가?

07 '수남'이 생각하는 '아버지'의 모습으로 가장 적절한 것은?

① 경제적으로 무능한 분
② 수남이가 보살펴야 할 분
③ 물질적 이익만 추구하는 분
④ 수남이를 전적으로 지원해 주는 분
⑤ 수남이의 잘못된 행동을 꾸짖어 줄 분

별별 포인트

08 다음은 '수남'의 갈등 해결 과정을 정리한 표이다. 빈칸에 들어갈 말을 #4에서 찾아 쓰시오.

	'수남'의 마음	'수남'의 얼굴
갈등 해결 전	도둑질을 하며 쾌감을 느낀 자신의 부도덕성을 깨닫고 안절부절못함.	
갈등 해결 후	집으로 돌아갈 결심을 하고, 본래의 순수함을 회복함.	청순함.

09 이 글에서 작가가 말하고자 하는 바로 가장 적절한 것은?

① 이웃의 일에 관심을 가져야 한다.
② 종교적인 신념으로 도덕성을 되찾아야 한다.
③ 물질적인 이익만을 좇지 말고 도덕적 양심을 회복해야 한다.
④ 헛된 욕심을 버리고 언제나 자기 분수에 만족하며 살아야 한다.
⑤ 도둑질에 대한 처벌을 강화하여 피해자의 이익을 보호해야 한다.

9문제 중에 ______ 문제 맞혔어!

04

가난한 사랑 노래
– 이웃의 한 젊은이를 위하여

신경림

배경 1970년대, 도시
산업화, 도시화가 진행되면서 고향을 떠나 도시로 온 노동자들이 가난하게 살아감.

가난하니
다 버려야지…….

시어 외로움, 두려움, 그리움, 사랑

표현 설의적 표현
쉽게 판단할 수 있는 사실을 의문의 형식으로 표현하는 설의법을 사용하여, 가난 때문에 사람으로서 누려야 하는 당연한 감정을 누리지 못하는 화자의 처지를 강조하고 있음.

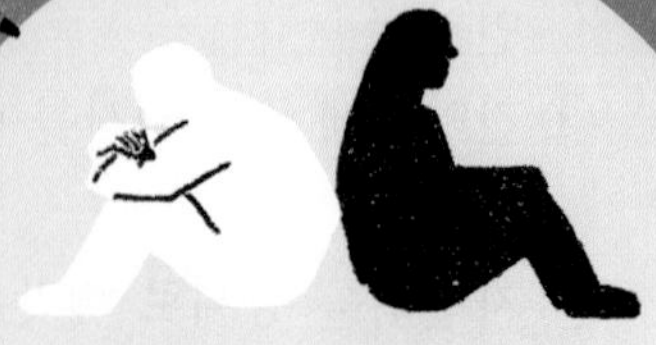

화자 이웃의 한 젊은이
고향을 떠나 도시 노동자로 힘들게 살아가는 이웃의 한 젊은이의 입을 통해, 가난하고 소외된 삶에 대한 연민을 불러일으킴.

읽기 포인트 » 화자는 이웃의 한 젊은이로 가난 때문에 모든 것을 버려야 한다고 말하고 있다. 화자가 버릴 수밖에 없는 것은 무엇이며, 이에 대한 화자의 태도는 어떠한지 파악하며 읽어 보자.

가난하다고 해서 외로움을 모르겠는가
너와 헤어져 돌아오는
눈 쌓인 골목길에 새파랗게 달빛이 쏟아지는데.
가난하다고 해서 두려움이 없겠는가
두 점을 치는 소리
(점: 예전에, 시각을 세던 단위.)
방범대원의 호각 소리, 메밀묵 사려 소리에
눈을 뜨면 멀리 육중한 기계 굴러가는 소리.
(육중한: 투박하고 무거운.)
가난하다고 해서 그리움을 버렸겠는가
어머님 보고 싶소 수없이 뇌어 보지만
(뇌어: 한 번 한 말을 여러 번 거듭하여 말해.)
집 뒤 감나무에 까치밥으로 하나 남았을
(까치밥: 까치와 같은 새들이 먹으라고 따지 않고 몇 개 남겨 두는 감.)
새빨간 감 바람 소리도 그려 보지만.
가난하다고 해서 사랑을 모르겠는가
내 볼에 와 닿던 네 입술의 뜨거움
사랑한다고 사랑한다고 속삭이던 네 숨결
돌아서는 내 등 뒤에 터지던 네 울음.
가난하다고 해서 왜 모르겠는가
가난하기 때문에 이것들을
이 모든 것들을 버려야 한다는 것을.

핵심 태그

가난한 노동자인 화자가 느끼는 외로움과
❶ #

보고 싶은 어머님과 고향에 대한
❷ #

❸ # 때문에 외로움, 두려움, 그리움, 사랑을 모두 버려야 하는 화자

★별별 포인트★

〈 설의적 표현의 효과 〉

표현	'가난하다고 해서 ~겠는가'
효과	• 반복해서 사용하여 운율을 형성함. • 작품의 주제를 강조함.

⇒ 화자는 외로움을 알고, 두려움이 있고, 그리움을 간직하며, 사랑을 알고 있다는 사실을 설의법을 사용해 강조하고 있음.

★별별 포인트★

〈 시적 화자의 상황 〉

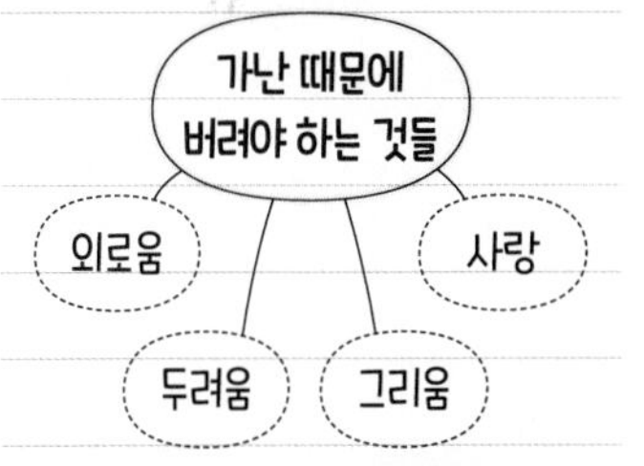

⇒ 시적 화자는 가난한 젊은이로, 가난 때문에 제시한 감정들을 모두 포기해야 하는 현실을 안타까워하고 있음.

[01~08] 다음 시를 읽고 물음에 답하시오.

가난하다고 해서 외로움을 모르겠는가
너와 헤어져 돌아오는
눈 쌓인 골목길에 새파랗게 달빛이 쏟아지는데.
가난하다고 해서 두려움이 없겠는가
두 점을 치는 소리
방범대원의 호각 소리, 메밀묵 사려 소리에 [A]
눈을 뜨면 멀리 육중한 기계 굴러가는 소리.
가난하다고 해서 그리움을 버렸겠는가
어머님 보고 싶소 수없이 뇌어 보지만
집 뒤 감나무에 까치밥으로 하나 남았을
새빨간 감 바람 소리도 그려 보지만.
가난하다고 해서 사랑을 모르겠는가
㉠내 볼에 와 닿던 네 입술의 뜨거움
사랑한다고 사랑한다고 속삭이던 네 숨결
돌아서는 내 등 뒤에 터지던 네 울음.
가난하다고 해서 왜 모르겠는가
가난하기 때문에 이것들을
이 모든 것들을 버려야 한다는 것을.

오엑스 확인 문제

01 이 시에 대한 설명으로 맞으면 ○표, 틀리면 ×표를 하시오.

화자	화자는 가난한 젊은이이다.	
시어	'가난'은 화자의 상황을 직접적으로 보여 준다.	
표현	이 시는 연과 행의 구별이 나타나지 않는다.	

별별 포인트

02 시적 화자에 대한 설명으로 적절하지 않은 것은?

① 고향에 계신 어머니를 그리워하고 있다.
② 산업화된 도시에서 힘들게 살아가고 있다.
③ 가난 때문에 여러 가지를 포기하며 살고 있다.
④ 사랑하는 사람과의 이별 때문에 힘들어하고 있다.
⑤ 자신이 처한 현실을 극복하려는 강한 의지를 보이고 있다.

별별 포인트

03 이 시의 표현상 특징을 보기에서 골라 바르게 묶은 것은?

보기
ㄱ. 화자가 처한 상황을 비유적으로 표현함.
ㄴ. 자연물을 사람처럼 표현하여 생동감을 줌.
ㄷ. 비슷한 형태의 시구를 반복하여 리듬감을 형성함.
ㄹ. 의문문의 형식을 사용하여 화자의 감정을 강조함.

① ㄱ, ㄴ ② ㄱ, ㄷ ③ ㄴ, ㄷ
④ ㄴ, ㄹ ⑤ ㄷ, ㄹ

04 화자의 감정을 드러내는 소재와 그 감정을 표로 정리하였다. 적절하지 않은 것은?

	소재	화자의 감정
①	달빛	외로움
②	호각 소리	두려움
③	까치밥	사랑
④	새빨간 감	그리움
⑤	숨결	사랑

05 [A]에 대한 설명으로 적절하지 않은 것은?

① 작품에 반영된 사회·문화적 배경을 짐작하게 해 준다.
② 선명한 색채 대비로 외롭고 서글픈 분위기를 자아낸다.
③ '소리'라는 시어를 시행의 끝에 배치하여 운율을 이룬다.
④ 청각적 심상을 사용하여 새벽의 모습을 생생하게 전달한다.
⑤ 밤늦게까지 기계 앞에서 고된 노동에 시달려야 하는 화자의 처지를 떠올리게 한다.

06 ㉠과 같은 감각적 이미지가 사용된 것은?

① 짭조름한 미역 냄새
② 스산히 몰고 가는 찬바람
③ 뒷문 밖에는 갈잎의 노래
④ 꽃 피는 사월이면 진달래 향기
⑤ 하이얀 모시 수건을 마련해 두렴

07 이 시의 내용을 영상으로 제작하기 위해 나눈 대화이다. 그 내용으로 적절하지 않은 것은?

① 늦은 밤에 사랑을 속삭이는 연인의 모습을 보여 주는 것이 좋겠어.
② 이른 아침 공장에 출근하여 활기차게 일하는 젊은이의 모습을 보여 주는 것이 좋겠어.
③ 사랑하는 이와 헤어진 후 그의 뒤에서 눈물짓는 사람의 모습을 보여 주는 것이 좋겠어.
④ 달빛이 쏟아지는 눈 쌓인 골목길을 쓸쓸히 걸어가는 젊은이의 모습을 보여 주는 것이 좋겠어.
⑤ 감이 빨갛게 익은 고향집의 풍경과 어머니를 떠올리는 젊은이의 모습을 보여 주는 것이 좋겠어.

08 다음 밑줄 친 이 시의 부제에 대한 설명으로 가장 적절한 것은?

> 가난한 사랑 노래
>
> – 이웃의 한 젊은이를 위하여

① '이웃의 한 젊은이'는 시에 등장하는 '너'라고 볼 수 있군.
② 이웃과 단절된 채 외롭게 살아가는 화자의 절망감을 드러내는군.
③ 독자를 특정 인물로 지정하여 시의 내용이 소수의 사람에게만 공감되겠군.
④ 화자가 자신뿐만 아니라 가난하고 소외된 이웃을 위로하고 있음을 알 수 있군.
⑤ 시인과 화자를 분리하여 시의 내용이 시인과는 관계가 없다는 것을 보여 주는군.

8문제 중에 ________ 문제 맞혔어!

05 괜찮아

장영희

인물 '나'
(글쓴이 자신)
다리가 불편하여 목발을 짚고 생활함.

사건 '깨엿 장수'가 '나'에게 "괜찮아."라고 말함.
깨엿 장수가 '나'에게 깨엿 두 개를 주며 '괜찮아.'라고 말한 이후로, '나'는 세상은 살 만하며 좋은 사람들이 있다고 믿기 시작함.

배경 1960년대, 제기동 한옥 마을 안 골목, 현재
글쓴이가 초등학교 시절 집 앞 골목에서 겪었던 일화와, 어른이 된 현재 '괜찮아.'라는 말과 관련된 일화를 제시함.

읽기 포인트» 글쓴이는 '괜찮아.'라는 말과 관련된 다양한 일화를 제시하고 있다. 이 말에 담긴 의미와 이를 통해 글쓴이가 깨달은 내용은 무엇인지 파악하며 읽어 보자.

#1 초등학교 때 우리 집은 제기동에 있는 작은 한옥이었다. 골목 안에는 고만고만한 한옥 네 채가 서로 마주 보고 있었다. 그때만 해도 한 집에 아이가 네댓은 되었으므로 그 골목길만 초등학교 아이들이 줄잡아 열 명이 넘었다. 그 때문에 학교가 끝날 때쯤 되면 골목 안은 시끌벅적 아이들의 놀이터가 되었다.

(채: 집을 세는 단위. / 네댓: 넷이나 다섯쯤 되는 수.)

어머니는 내가 집에서 책만 읽는 것을 싫어하셨다. 그래서 방과 후 골목길에 아이들이 모일 때쯤이면 어머니는 대문 앞 계단에 작은 방석을 깔고 나를 거기에 앉히셨다. 아이들이 노는 것을 구경이라도 하라는 뜻이었다.

딱히 놀이 기구가 없던 그때 친구들은 대부분 술래잡기, 사방치기, 공기놀이, 고무줄 등을 하고 놀았지만, 나는 공기놀이 외에는 어떤 놀이에도 참여할 수 없었다. 하지만 골목 안 친구들은 나를 위해 꼭 무언가 역할을 만들어 주었다. 고무줄이나 달리기를 하면 내게 심판을 시키거나 신발주머니와 책가방을 맡겼다. 뿐인가? 술래잡기를 할 때에는 한곳에 앉아 있는 내가 답답할까 봐, 미리 내게 어디에 숨을지를 말해 주고 숨는 친구도 있었다.

우리 집은 골목 안에서 중앙이 아니라 구석 쪽이었지만 내가 앉아 있는 계단 앞이 친구들의 놀이 무대였다. 놀이에 참여하지 못해도 나는 전혀 소외감이나 박탈감을 느끼지 않았다. 아니, 지금 생각하면 내가 소외감을 느낄까 봐 친구들이 배려를 해 준 것이었다.

(박탈감: 무언가를 빼앗겼다고 여기는 느낌이나 기분.)

★ 별별 포인트 ★

< '나'에 대한 주변의 배려 >

어머니
대문 앞 계단에 '나'를 앉히고 친구들을 구경하게 함.

+

골목 안 친구들
'나'를 위해 놀이마다 꼭 역할을 만들어 줌.

#1 핵심 태그
어린 시절 몸이 불편한 '나'를 배려해 준 # 와 골목 안 친구들

#2 그 골목길에서의 일이다. 초등학교 1학년 때였던 것 같다. 하루는 우리 반이 좀 일찍 끝나서 나는 혼자 집 앞에 앉아 있었다. 그런데 그때 마침 깨엿 장수가 골목길을 지나고 있었다. 그 아저씨는 가위만 쩔렁이며 내 앞을 지나더니 다시 돌아와 내게 깨엿 두 개를 내밀었다. 순간 그 아저씨와 내 눈이 마주쳤다. 아저씨는 아무 말도 하지 않고 아주 잠깐 미소를 지어 보이며 말했다. / "괜찮아."

(쩔렁이며: 큰 방울이나 얇은 쇠붙이가 흔들리거나 부딪쳐 울리는 소리를 내며.)

무엇이 괜찮다는 것인지는 몰랐다. 돈 없이 깨엿을 공짜로 받아도 괜찮다는 것인지, 아니면 목발을 짚고 살아도 괜찮다는 것인지……. 하지만 그건 중요하지 않다. 중요한 건 내가 그날 마음을 정했다는 것이다. 이 세상은 그런대로 살 만한 곳이라고. 좋은 사람들이 있고, 선의와 사랑이 있고, '괜찮아.'라는 말처럼 용서와 너그러움이 있는 곳이라고 믿기 시작했다는 것이다.

(목발: 다리가 불편한 사람이 겨드랑이에 끼고 걷는 지팡이. / 선의: 착한 마음, 또는 좋은 뜻.)

어느 방송 채널에 오래전의 학교 친구를 찾는 프로그램이 있다. 한번은 어느 가수가 나와서 초등학교 때 친구들을 찾았는데, 함께 축구하던 이야기가 나왔다. 당시 허리가 36인치일 정도로 뚱뚱한 친구가 있었는데, 뚱뚱해서 잘 뛰지 못한다고 다른 친구들이 축구팀에 끼워 주려고 하지 않았다. 그때 그 가수가 나서서 말했다.

인치: 길이의 단위. 약 2.54 cm

"그럼 얘가 골키퍼를 하면 함께 놀 수 있잖아!"

그래서 그 친구는 골키퍼로 친구들과 함께 축구를 했고, 몇십 년이 지난 뒤에도 그 따뜻한 말과 마음을 그대로 기억하고 있었다.

'괜찮아.' 난 지금도 이 말을 들으면 괜히 가슴이 찡해진다.

찡해진다: 감동을 받아 가슴 등이 뻐근해지는 느낌이 든다.

운동 경기에서 최선을 다했지만 패배한 경우, 그것을 지켜본 관중들은 선수들을 향해 외친다. "괜찮아! 괜찮아!"

학교 대표로 퀴즈 대회에 나간 친구가 혼자 남아 문제를 풀다가 결국 중간에 탈락했을 때에도 친구들이 얼싸안고 말해 준다. "괜찮아! 괜찮아!"

'그만하면 참 잘했다.'라고 용기를 북돋아 주는 말, '너라면 뭐든지 다 눈감아 주겠다.'라는 용서의 말, '무슨 일이 있어도 나는 네 편이니 넌 절대 외롭지 않다.'라는 격려의 말, '지금은 아파도 슬퍼하지 마라.'는 나눔의 말, 그리고 마음으로 일으켜 주는 부축의 말, '괜찮아.'

★ 별별 포인트 ★

< '괜찮아.'라는 말에 담긴 의미 >

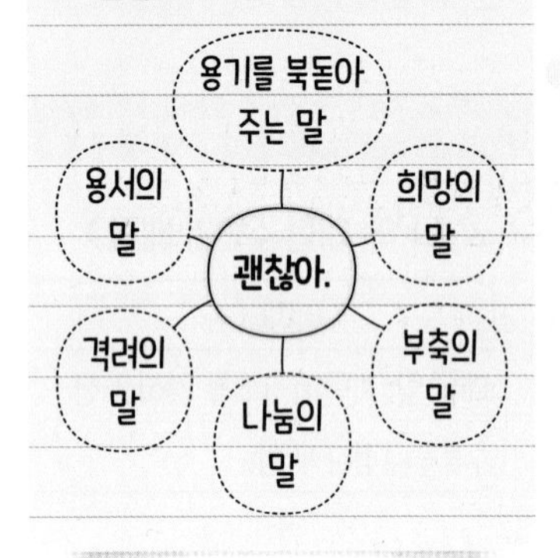

#2 핵심 태그
'#   .'라는 말에 담긴 여러 가지 의미

#3 참으로 신기하게도, 힘들어서 주저앉고 싶을 때마다 난 내 마음속의 작은 속삭임을 듣는다. 오래전 따뜻한 추억 속 골목길 안에서 들은 말, "괜찮아! 조금만 참아. 이제 다 괜찮아질 거야."

아! 그래서 '괜찮아.'는 이제 다시 시작할 수 있다는 희망의 말이다.

#3 핵심 태그
'나'에게 #   을 주는 말이 된 '괜찮아.'

오엑스 확인 문제

01 이 글에 대한 설명으로 맞으면 ○표, 틀리면 ×표를 하시오.

인물	'나'는 어머니의 바람대로 집에서 책을 주로 읽었다.	
사건	'나'는 초등학생 때 깨엿 장수에게서 공짜로 '깨엿'을 받았다.	
배경	'나'는 어린 시절 집 앞 골목길에서 친구들과 자주 놀았다.	
소재	'나'는 어른이 된 지금도 '괜찮아.'라는 말을 들으면 가슴이 찡해진다.	

02 '나'에 대한 설명으로 가장 적절한 것은?

① 몸이 불편하여 목발을 짚어야 했다.
② 집에서 어머니와 노는 것을 좋아했다.
③ 집이 가난하여 학교에 다니지 않았다.
④ 혼자 집 안에서 지내는 시간이 많았다.
⑤ 친구들과 어울리지 못하여 우울해했다.

별별 포인트

03 친구들이 다음과 같이 행동한 이유로 가장 적절한 것은?

> 고무줄이나 달리기를 하면 내게 심판을 시키거나 신발주머니와 책가방을 맡겼다.

① '나'의 어머니가 부탁해서
② '나'가 심판을 공정하게 보아서
③ '나'가 다른 곳에 가지 못하게 하기 위해서
④ 몸이 불편한 '나'와 같은 편이 되기 싫어서
⑤ '나'가 소외감을 느끼지 않게 하기 위해서

별별 포인트

04 '괜찮아.'라는 말의 의미로 적절하지 않은 것은?

① 포기하면 편하다.
② 그만하면 참 잘했다.
③ 이제 다시 시작할 수 있다.
④ 지금은 아파도 슬퍼하지 마라.
⑤ 무슨 일이 있어도 나는 네 편이다.

05 이 글로 보아, 보기 의 상황에서 밑줄 친 말의 의미로 가장 적절한 것은?

> 보기
> 초등학생 손자가 할아버지의 방에서 놀다가 할아버지가 아끼는 꽃병을 깨뜨리고 말았다. 손자가 "앙" 하고 울음을 터뜨리자 할아버지는 손자를 토닥이며 말하였다.
> "괜찮다. 괜찮아."

① 용서의 말 ② 나눔의 말
③ 부축의 말 ④ 격려의 말
⑤ 희망의 말

06 이 글을 읽은 후의 반응으로 가장 적절한 것은?

① 앞으로 친구들과 사이좋게 지내야겠어.
② 운동 경기에서는 항상 최선을 다해야지.
③ 다른 사람들에게 따뜻한 마음을 베풀어야겠어.
④ 친구가 잘못을 하면 내가 대신 벌을 받아야겠어.
⑤ 상대방의 말을 이해하지 못했을 때에는 반드시 물어봐야겠어.

6문제 중에 ______ 문제 맞혔어!

어휘로 마무리

기억해 보자!

01 유자소전　02 장마　03 자전거 도둑
04 가난한 사랑 노래　05 괜찮아

01 다음 문장의 밑줄 친 '눈'과 같은 의미로 쓰인 것은?

> 눈 쌓인 골목길에 새파랗게 달빛이 쏟아지는데.

① 눈 덮인 산을 바라보니 마음까지 편안해진다.
② 나는 사슴처럼 눈이 맑다는 이야기를 종종 듣는다.
③ 잠깐 눈을 감았다 떴을 뿐인데 한 시간이나 잤다고?
④ 텔레비전에 좋아하는 연예인이 나오니 눈이 초롱초롱해진다.
⑤ 내가 라면 한 젓가락을 뺏어 먹자 동생은 말없이 눈을 흘겼다.

한줌 Hint
'눈'은 사람의 신체 기관, 얼음의 결정체, 식물의 싹 등 다양한 의미가 있는 어휘이다.

02 다음 밑줄 친 어휘의 뜻으로 적절한 것은?

> 그는 총수가 그랬다고 속상해할 만큼 속이 옹색한 편이 아니었다.

① 매우 찬찬하고 세밀한.
② 생각이 막혀서 답답하고 좁은.
③ 마음에 흡족하여 여유가 있고 넉넉한.
④ 자극에 대한 반응이나 감각이 지나치게 날카로운.
⑤ 성격이나 태도가 사소한 것에 얽매이지 않으며 너그러운.

한줌 Hint
앞뒤의 어휘를 바탕으로 제시된 어휘가 긍정적인 내용일지 부정적인 내용일지를 먼저 생각해 본다.

03 다음 뜻풀이에 알맞은 어휘를 찾아 빈칸에 쓰시오.

회심　연민　임종　생채기

(1) 죽음을 맞이함. ( )
(2) 불쌍하고 가련하게 여김. ( )
(3) 손톱 등으로 할퀴이거나 긁히어서 생긴 작은 상처. ( )
(4) 마음에 흐뭇하게 들어맞음. 또는 그런 상태의 마음. ( )

한줌 Hint
'생채기'는 순우리말이고, '회심(會心)', '연민(憐憫)', '임종(臨終)'은 한자어이다. 아는 한자가 있다면 뜻풀이와 연결해 본다.

04 다음 문장의 빈칸에 공통으로 들어갈 어휘로 적절한 것은?

- 비단잉어들은 화려하고 귀티 나는 맵시로 보는 사람마다 [ ]을 자아내게 하였다.
- 눈앞에서 벌어지는, 그야말로 희한한 광경에 놀라 사람들은 저마다 [ ]을 올렸다.

㉠ 한숨　㉡ 탄성　㉢ 탄식　㉣ 괴성

한줌 Hint

'~을 자아내다.'나 '~을 올리다.'라는 표현에 어울리지 않는 어휘를 먼저 하나씩 지워 나간다.

05 다음 문장을 읽고, 맞춤법에 맞는 어휘를 고르시오.

(1) 그때만 해도 한 집에 아이가 (너댓 / 네댓)은 되었다.

(2) 게 (비눌 / 비늘)을 대강 긁어서 된장끼 좀 해서 지져 먹었지요.

한줌 Hint

(1)은 한둘, 두셋, 서넛, (　　), 대여섯, 예닐곱, 일고여덟, 여덟아홉과 같이 수를 셀 때 괄호 안에 들어갈 수이다. (2)는 생선을 덮고 있는 작은 조각을 가리키는 말이다.

06 다음 문장의 밑줄 친 어휘와 바꾸어 쓸 수 있는 어휘가 아닌 것은?

(1)

외할머니의 눈이 단박에 세모꼴로 변했다.

㉠ 즉시　㉡ 대번에　㉢ 한꺼번에

(2)

골목 안 친구들은 나를 위해 무언가 역할을 만들어 주었다.

㉠ 임무　㉡ 배역　㉢ 파트

한줌 Hint

(1)에는 '곧장, 바로'라는 의미가 포함되어 있다. (2)에는 '어떤 일을 맡음.'이라는 의미가 포함되어 있다.

별별 인물

어휘로 마무리

漢字 한자 성어

07 다음은 「장마」의 일부분이다. 두 할머니의 모습과 관련 있는 한자 성어로 가장 적절한 것은?

한줌 Hint

자식을 먼저 잃은 외할머니는 할머니를 위로하고 있고, 할머니는 아들의 혼을 달래 준 외할머니에게 고마움을 표하고 있다.

"인자는 다 지나간 일이닝게 그런 말씀 고만두시고 어서어서 뫼이나 잘 추시리기라우."
"고맙소. 참으로 고맙구랴."
할머니가 손을 내밀었다. 외할머니가 그 손을 잡았다. 손을 맞잡은 채 두 할머니는 한동안 말을 잇지 못했다.

㉠ 선견지명(先見之明)
㉡ 동병상련(同病相憐)
㉢ 설상가상(雪上加霜)

속담

08 다음은 「자전거 도둑」에서 '수남'이 갈등하는 부분이다. '수남'의 상황을 나타낼 만한 속담으로 가장 적절한 것은?

한줌 Hint

수남이가 안절부절못하는 이유를 살펴본다.

수남이는 몸을 부르르 떨면서 낮에 자전거를 갖고 달리면서 맛본 공포와 함께 그 까닭 모를 쾌감을 회상한다. 마치 참았던 오줌을 내깔길 때처럼 무거운 억압이 갑자기 풀리면서 전신이 날아갈 듯이 가벼워지는 그 상쾌한 해방감 — 한번 맛보면 도저히 잊힐 것 같지 않은 쾌감, 아아 도둑질하면서도 나는 죄책감보다는 쾌감을 더 짙게 느꼈던 것이다.
혹시 내 피 속에 도둑놈의 피가 흐르고 있기 때문이 아닐까. 순간 수남이는 방바닥에서 송곳이라도 치솟은 듯이 후다닥 일어서서 안절부절못하고 좁은 방 안을 헤맸다.

㉠ 도둑이 제 발 저리다
㉡ 비 온 뒤에 땅이 굳어진다
㉢ 하늘이 무너져도 솟아날 구멍이 있다

별별

사건

01

소음 공해

오정희

사건 '나'와 '위층 여자'의 갈등

'나'는 위층에서 나는 소음 때문에 항의하다 결국 위층 여자를 찾아가게 됨. 소음의 정체가 드러나면서 극적 반전이 일어남.

소재 인터폰, 슬리퍼

인터폰과 슬리퍼는 이웃 간의 단절과 무관심을 보여 줌.

인물 '나'

남편과 두 아들이 있는 가정주부.
장애인 시설에서 자원봉사자로 일하지만,
정작 이웃이 장애인인 줄은 모름.

배경 도시의 아파트

아파트라는 공간을 통해 이웃 간에 관심이 없고 단절되어 있는 현대인의 모습을 보여 줌.

읽기 포인트 » '나'는 위층에서 나는 소음 때문에 위층 여자와 갈등하다 직접 윗집으로 찾아간다. '나'가 갈등을 해결하려고 한 방법과 실제 소음의 정체가 무엇이었는지를 확인하며 읽어 보자.

#1 집에 돌아오자마자 뜨거운 물로 샤워를 하고 실내복으로 갈아입었다. 목요일, 심신 장애인 시설에서 자원봉사자로 일하는 날은 몸이 젖은 솜처럼 무겁고 피곤하다. 그래도 뇌성 마비(뇌가 손상되어 운동 기능이 마비된 상태.)나 선천적 기능 장애로 팔다리가 뒤틀리고 정신마저 온전치 못한 아이들을 씻기고 함께 놀이를 하고 휠체어를 밀어 산책을 시키는 등 시중(옆에 있으면서 여러 심부름을 하는 일.)을 들다 보면 나를 요구하는 곳에서 시간과 힘을 내어 일한다는 뿌듯함이 느껴졌다. 고등학생인 두 아들은 아침에 도시락을 두 개씩 싸 들고 갔으니 밤 11시나 되어야 올 것이고, 남편은 3박 4일의 출장 중이니 날이 저물어도 서두를 일이 없다. 더욱이 나는 한나절 심신이 지치게 일을 한 뒤라 당당히 휴식을 즐길 권리가 있다. 아이들이 올 때까지의 서너 시간은 오로지 내 시간인 것이다. 아이들은 머리가 커져 치마폭에 감기거나 귀찮게 치대는 일이 없이 '다녀왔습니다.' 한마디로 문 닫고 제 방에 들어앉게 마련이지만, 가족들이 집에 있을 때에는 아무리 거실이나 방에 혼자 있어도 혼자 있다는 기분을 갖기 어려웠다. 사방 문 열린 방에서 두 손 모아 쥐고 전전긍긍 24시간 대기하고 있는 모습이었다.

#1 핵심 태그
가정주부이자 심신 장애인 시설에서 # 로 일하고 있는 '나'

#2 거실 탁자의 갓등을 켜고 커피를 진하게 끓여 마시며 슈베르트의 아르페지오네 소나타를 틀었다. 첼로의 감미로운 선율이 흐르고, 나는 어슴푸레하고 아득한 공간, 먼 옛날로 돌아가는 듯한 기분에 잠겨 들었다. 몽상(실현성이 없는 헛된 생각을 함. 또는 그 생각.)과 시와 꿈과 불투명한 미래가 약간 불안하게, 그러나 기대와 신비한 예감으로 존재하던 시절, 내가 이러한 모습으로 살아가리라는 것은 상상할 수도 없었던 시절로…….

사람이 단돈 몇 푼 잃는 것은 금세 알아도 본질적인 것을 잃어 가는 것에는 무감각하다던가? 눈을 감고 하염없이 소나타의 음률(소리와 음악의 가락.)에 따라 흐르던 나는 그 감미롭고 슬픔에 찬 흐름을 압도하며 끼어든 ✯불청객(오라고 청하지 않았는데도 스스로 찾아온 손님.)에 사납게 눈을 치떴다. ✯"드르륵드르륵". 무거운 수레를 끄는 듯 ✯둔탁한 그 소리는 중년 여자의 부질없는 회한(뉘우치며 한숨을 쉬고 탄식함.)과 감상을 비웃듯 천장 위에서 쉼 없이 들려왔다. 십 분, 이십 분, 초침까지 헤아리며 천장을 노려보다가 나는 신경질적으로 전축(레코드판으로 소리나 음악을 재생하는 장치.)을 껐다. 그 ✯사실적이고 무지한 소리에 피아노와 첼로의 멜로디는 이미 소음에 지나지 않았다. / 하루 이틀의 일이 아니었다. 위층 주인이 바뀐 이래 한 달 전부터 나는 그 정체 모를 소리에 밤낮없이 시달려 왔다. 진공청소기 소리인가? 운동 기구를 들여 놓았나? 집 안에 공장을 차렸나? 식구들마다 온갖 추측을 해 보았으나 도무지 알 수 없는 일이었다.

✶ 별별 포인트 ✶

〈 갈등의 원인 〉

✯위층의 소음
- 불청객
- 드르륵드르륵
- 둔탁한 그 소리
- 사실적이고 무지한 소리

⇒ 위층에서 나는 소리의 정체에 대한 궁금증을 유발함.

"도깨비가 사나 봐요. 롤러스케이트를 타는 도깨비."

아들 녀석이 처음에는 머리에 뿔을 만들어 보이며 히히덕거렸으나, 자정 넘도록 들려오는 그 소리에 나중에는 짜증을 내기 시작했다. 좀체 남의 험구를 하지 않는 남편도

남의 흠을 들추어 헐뜯거나 험상궂은 욕을 함. 또는 그 욕.

"한 지붕 아래 함께 못 살 사람들이군."

하는 말로 공동생활의 기본적인 수칙을 모르는 이웃을 나무랐다.

#2 핵심 태그

위층에서 나는 #

때문에 시달리는 '나'와

짜증을 내는 식구들

#3 일주일을 참다가 나는 인터폰을 들었다. 인터폰으로 직접 위층을 부르거나 얼굴을 마주하지 않고 경비원을 통해 이쪽 의사를 전달하는 간접적인 방법을 택한 것은 나로서는 자신의 품위와 상대방에 대한 예절을 지키기 위해서였던 것이다. 나는 자주 경비실에 전화를 걸어, 한밤중에 조심성 없이 화장실 물을 내리는 옆집이나 때 없이 두들겨 대는 피아노 소리, 자정 넘어까지 조명등 켜들고 비디오 찍어 가며 고래고래 악을 써 양옆과 이웃 동네에 잠을 깨우는 함진아비의 행태 따위가 얼마나 교양 없고 몰상식한 짓인가 등등을 일깨워 주었다. 그러고는 소음 공해와 공동생활의 수칙에 대해 주의를 줄 것을, 선의의 피해자들을 대변해서 강력하게 요구하고는 했었다.

혼인 때에 신랑 집에서 신부 집에 보내는 함을 지고 가는 사람.

어떤 사람이나 단체를 대신하여 그의 의견이나 태도를 표해서.

위층의 소리는 멈추지 않았다. 드르륵거리는 소리에 머리카락 올이 진저리를 치며 곤두서는 것 같았다. 철없고 상식 없는 요즘 젊은 엄마들이 아이들에게 집 안에서 자전거나 스케이트보드 따위를 타게도 한다는데, 아무래도 그런 것 같았다. 인터폰의 수화기를 들자, 경비원의 응답이 들렸다. 내 목소리를 알아채자마자 길게 말꼬리를 늘이며 지레 짚었다. 귀찮고 성가셔하는 표정이 눈앞에 역력히 떠올랐다.

"위층이 또 시끄럽습니까? 조용히 해 달라고 말씀드릴까요?"

잠시 후 인터폰이 울렸다.

"충분히 주의하고 있으니 염려 마시랍니다."

경비원의 전갈이었다. 염려 마시라고? 다분히 도전적인 저의가 느껴지는 말이었다. 게다가 드르륵드르륵 소리는 여전하지 않은가? 이제는 한판 싸워 보자는 얘긴가? 나는 인터폰을 들어 다짜고짜 909호를 바꿔 달라고 말했다. 신호음이 서너 차례 울린 후에야 신경질적인 젊은 여자의 응답이 들렸다.

사람을 시켜 말을 전함.

겉으로 드러나지 않은, 속에 품은 생각.

"아래층인데요. 댁이 그런 식으로 말할 건 없잖아요? 나도 참을 만큼 참았다고요. 공동 주택에는 지켜야 할 규칙들이 있잖아요? 난 그 소리 때문에 병이 날 지경이에요."

"여보세요. 난 날아다니는 나비나 파리가 아니에요. 내 집에서 마음대로 움직이지도 못하나요? 해도 너무하시네요. 이틀거리로 전화를 해 대시니 저도 피가 마르는 것 같아요. 절더러 어쩌라는 거예요?"

"하여튼 아래층 사람 고통도 생각하시고 주의해 주세요."

나는 거칠게 수화기를 내려놓았다.

"뻔뻔스럽긴. 이젠 순 배짱이잖아?" 소리 내어 욕설을 퍼부어도 화가 가라앉지 않았다. 그렇다고 언제까지 경비원을 사이에 두고 '하랍신다.', '하신다더라.' 하며 신경전을 펼 수도 없는 일이었다. 화가 날수록 침착하고 부드럽게 처신해야 한다는 것은 나이가 가르친 지혜였다. 지난겨울 선물로 받은, 아직 쓰지 않은 실내용 슬리퍼에 생각이 미친 것은 스스로도 신통했다. 선물도 무기가 되는 법. 발소리를 죽이는 푹신한 슬리퍼를 선물함으로써 소리를 죽이라는 메시지와 함께 소리 때문에 고통받는 내 심정을 간접적으로 나타낼 수 있으리라. 사려 깊고 양식 있는 이웃으로서 공동생활의 규범에 대해 조곤조곤 타이르리라.

배짱: 조금도 굽히지 않고 버티는 태도.
처신해야: 세상을 살아가는 데 가져야 할 몸가짐이나 행동을 취해야.
양식: 사물을 분별하는 뛰어난 능력이나 건전한 판단.

★별별 포인트★

< '슬리퍼'의 의미 >

- 소음을 줄이라는 간접적 메시지
- '나'가 고통 받는다는 간접적 메시지
- '나'가 교양 있는 이웃이라는 의미
- 이웃에 대한 '나'의 무관심

#3 핵심 태그

________ 을 통해 위층 여자에게 주의해 달라고 항의하는 '나'

#4 위층으로 올라가 벨을 눌렀다. 안쪽에서 누구세요, 묻는 소리가 들리고도 십 분 가까이 지나 문이 열렸다. '이웃사촌이라는데 아직 인사도 없이…….' 등등 준비했던 인사말과 함께 포장한 슬리퍼를 내밀려던 나는 첫마디를 뗄 겨를도 없이 우두망찰했다. 좁은 현관을 꽉 채우며 휠체어에 앉은 젊은 여자가 달갑잖은 표정으로 나를 올려다보았다.

우두망찰했다: 정신이 얼떨떨하여 어찌할 바를 몰랐다.

"안 그래도 바퀴를 갈아 볼 작정이었어요. 소리가 좀 덜 나는 것으로요. 어쨌든 죄송해요. 도와주는 아줌마가 지금 안 계셔서 차 대접할 형편도 안 되네요."

여자의 텅 빈, 허전한 하반신을 덮은 화사한 빛깔의 담요와 휠체어에서 황급히 시선을 떼며 나는 할 말을 잃은 채 부끄러움으로 얼굴만 붉히며 슬리퍼 든 손을 등 뒤로 감추었다.

★별별 포인트★

< 결말의 극적 반전 >

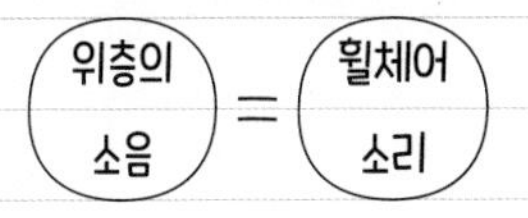

→ '나'가 위층 여자의 처지를 알게 되면서 갈등이 해소됨.

#4 핵심 태그

위층에 갔다가 # ________ 에 앉은 여자를 보고 슬리퍼를 감추는 '나'

작품 줄거리 요약하기

제시 장면 줄거리

'나'는 공동 주택에 사는 평범한 가정주부로 매주 목요일에 심신 장애인 시설에서 자원봉사자로 일한다. 남편과 고등학생인 두 아들이 집에 있을 때에는 가족을 위해 늘 대기중인 형편이다.

자원봉사를 끝내고 온 날 혼자만의 여유를 즐기고 있는데, 때마침 위층에서 들려오는 소음 때문에 휴식을 방해받고 만다. 위층 주인이 바뀌고 난 다음부터 나는 소음 때문에 '나'는 물론 가족들 모두 짜증을 내거나 위층 험담을 하기 시작한다.

'나'는 일주일을 참다가 처음에는 경비원을 통해 위층에 말해 달라고 한다. 하지만 위층의 소리가 멈추지 않자, '나'는 직접 ❶ ☐☐☐ 으로 위층 여자에게 주의해 달라고 요청한다. 하지만 위층 여자는 신경질적인 태도를 보이고, 이에 화가 난 '나'는 ❷ ☐☐☐ 를 선물해 간접적으로 자신의 메시지를 전달하고자 한다.

'나'가 위층으로 올라가 벨을 누르지만 한참 뒤에야 사람이 나온다. 이때 ❸ ☐☐☐ 에 앉은 젊은 여자의 모습을 본 '나'는 부끄러움에 슬리퍼를 든 손을 등 뒤로 감춘다.

오엑스 확인 문제

01 이 글에 대한 설명으로 맞으면 ○표, 틀리면 ×표를 하시오.

인물	'나'는 장애인 시설에서 자원봉사를 한다.	
사건	'나'와 위층 여자는 층간 소음 때문에 갈등한다.	
배경	'나'의 가족은 단독 주택에서 살고 있다.	
소재	'인터폰'은 위층 여자가 장애인임을 알려 준다.	

02 이 글의 '나'에 대한 설명으로 적절하지 않은 것은?

① 가족과 집안일에는 별로 관심이 없다.
② 품위와 예절을 지키는 것을 중시한다.
③ 중년 여성으로 클래식 음악을 좋아한다.
④ 봉사 활동을 하는 따뜻한 마음을 지녔다.
⑤ 공동생활의 수칙을 중시하여 주의를 요구하는 전화를 경비실에 자주 한다.

별별 포인트

03 '나'가 '위층 여자'에게 '슬리퍼'를 선물하기로 한 까닭으로 가장 적절한 것은?

① 신지 않는 새 슬리퍼가 아까워서
② 인터폰으로 싸우고 난 뒤 화해하려고
③ 집 안에서는 슬리퍼를 신는 것이 예의라서
④ 새로 이사 온 위층 여자와 친하게 지내려고
⑤ 소음을 줄이라는 메시지를 교양 있게 전달하려고

04 보기는 이 글에 나타난 사건을 정리한 것이다. 사건의 흐름에 맞게 기호를 차례대로 쓰시오.

보기
ㄱ. '나'가 소음의 원인을 깨닫고 몹시 부끄러워함.
ㄴ. '나'가 집에서 쉬려고 하는데 위층에서 소음이 들려옴.
ㄷ. '나'가 위층 여자에게 인터폰을 통해 직접적으로 항의함.
ㄹ. '나'가 슬리퍼를 들고 위층으로 올라갔다가 위층 여자의 처지를 알게 됨.
ㅁ. 계속되는 소음에 시달리다 '나'가 인터폰으로 경비원에게 간접적으로 항의함.

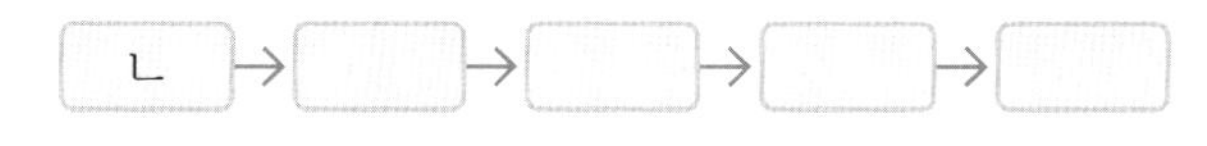
ㄴ → ( ) → ( ) → ( ) → ( )

별별 포인트

05 다음은 #2의 일부분이다. ⓐ~ⓔ 중, 가리키는 내용이 나머지와 다른 것은?

눈을 감고 하염없이 소나타의 음률에 따라 흐르던 나는 그 감미롭고 슬픔에 찬 흐름을 압도하며 끼어든 ⓐ불청객에 사납게 눈을 치떴다. ⓑ"드르륵드르륵". 무거운 수레를 끄는 듯 ⓒ둔탁한 그 소리는 중년 여자의 부질없는 회한과 감상을 비웃듯 천장 위에서 쉼 없이 들려왔다. 십 분, 이십 분, 초침까지 헤아리며 천장을 노려보다가 나는 신경질적으로 전축을 껐다. 그 ⓓ사실적이고 무지한 소리에 피아노와 첼로의 멜로디는 이미 ⓔ소음에 지나지 않았다.

① ⓐ ② ⓑ ③ ⓒ
④ ⓓ ⑤ ⓔ

별별 포인트

06 보기에서 설명하는 소재를 이 글에서 찾아 쓰시오.

보기
• 위층에서 나는 소음의 원인
• 위층 여자의 처지를 알려 주는 소재
• 극적 반전을 이루어 갈등을 해결하는 소재

____

07 이 글에 나타난 '나'의 심리 변화로 적절한 것은?

	위층 여자와 인터폰을 함.		위층에 올라가 여자를 만남.		여자의 처지를 알게 됨.
①	짜증이 남.	→	반가움.	→	두려움.
②	짜증이 남.	→	신기함.	→	미안함.
③	화가 남.	→	두려움.	→	쑥스러움.
④	화가 남.	→	당황함.	→	부끄러움.
⑤	화가 남.	→	어색함.	→	어지러움.

08 이 글의 주제로 가장 적절한 것은?

① 물질보다는 정신적 가치를 중시하자.
② 장애인에 대한 잘못된 편견을 버리자.
③ 이웃에게 관심과 애정을 가지고 살자.
④ 가족 간에도 기본적인 예의를 차리자.
⑤ 공동생활을 할 때에는 규칙을 잘 지키자.

8문제 중에
______ 문제 맞혔어!

02 일용할 양식

양귀자

인물 경호네

김포 슈퍼의 주인 부부. 착실하게 돈을 모아 김포 쌀 상회를 김포 슈퍼로 확장함.

사건 김포 슈퍼와 형제 슈퍼의 갈등

소재 쌀과 연탄

가까운 거리에 있는 김포 슈퍼와 형제 슈퍼에서 파는 물건이 같아지면서, 두 슈퍼는 서로 경쟁을 벌이게 됨.

김포 슈퍼

갈등

갈등·동맹

인물 싱싱 청과물 사내

사건 싱싱 청과물과 두 슈퍼 사이의 갈등

두 슈퍼 사이에 싱싱 청과물이 생기자, 두 슈퍼가 동맹을 맺음. 싱싱 청과물 사내는 결국 동네를 떠남.

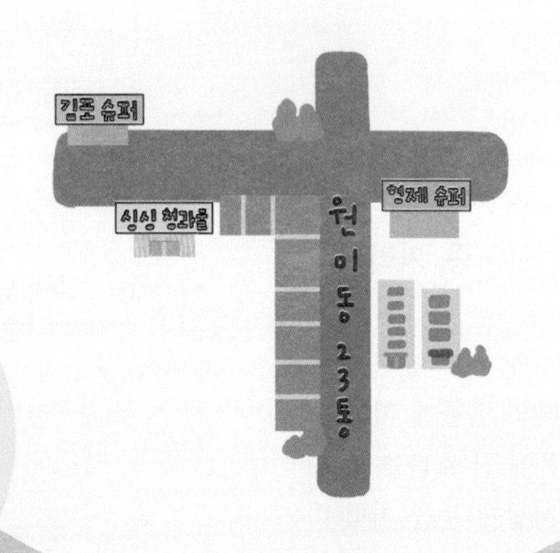

형제 슈퍼

갈등

인물 김 반장

형제 슈퍼의 주인. 원미동 23통 5반의 반장. 많은 가족을 먹여 살려야 해서 억척스러움.

배경 1980년대, 부천시 원미동

도시 외곽 지역으로, 형편이 넉넉하지 않은 서민들이 살아가는 곳.

읽기 포인트 » 김포 슈퍼와 형제 슈퍼가 경쟁하면서 갈등이 시작되는 부분이다. 두 슈퍼가 갈등하게 된 원인이 무엇인지, 이를 둘러싼 원미동 사람들의 반응은 어떠한지 파악하며 읽어 보자.

#1 고흥댁 말대로 김포 슈퍼의 경호네 앞날은 가히 풍년의 조짐이 보이기도 하였다. 싹싹한 경호 엄마는 100원짜리 꼬마 손님한테도 일일이 뻥튀기 한 장씩을 선물로 주었다. 입에다가는 언제나 "어서 오세요, 안녕히 가세요, 감사합니다."를 매달아 놓았고, 까다로운 사람이 와도 활짝 웃는 낯에 고분고분 응대하여 곧잘 비위를 맞추어 냈다. 경호 아버지는 겨울철이라 밀려드는 연탄 주문으로 신새벽부터 해거름까지 눈코 뜰 사이 없었다.

(풍년: 사물의 소득이 매우 많은 경우를 비유적으로 이르는 말.)

연탄 배달 틈틈이 쌀 배달도 늦추지 않고 해치우고 야채를 받아 오기 위해 신나게 자전거 페달을 밟고 큰 시장으로 내달리는 모습은 언뜻 대견하게까지 보였다. 생필품 외에도 채소며 과일을 종류대로 팔고 있는 터라 가게는 그럭저럭 매상이 오르는 눈치였다. 시장이 먼 탓에 어지간한 찬거리는 가게에서 구입하는 원미동 여자들 사이에 김포 슈퍼 부식값이 시장 상인들보다 오히려 싼 편이며, 채소나 과일들도 모두 싱싱하고 질이 좋더라는 소문이 핑 돌기 시작한 것은 개업 후 며칠 만의 일이었다.

(생필품: 일상생활에 반드시 있어야 할 물품.)
(매상: 상품을 판 돈의 액수.)
(부식: 주식에 곁들여 먹는 음식. 밥에 딸린 반찬.)

#1 핵심 태그
확장 개업한 후 #
의 조짐이 보이는 김포 슈퍼

#2 바로 그 무렵, 원미동 여자들은 형제 슈퍼의 김 반장이 가게 앞 공터에 수백 장씩 연탄을 내려놓는 현장을 목격하였다. 또, 형제 슈퍼의 간이 창고 구실을 하던 입구의 천막 속엔 쌀과 잡곡들이 제각기 멱서리에 담겨져 있고, 그 옆에 돌 고르는 석발기까지 덜덜거리며 돌아가는 모습도 목격하였다. 물론, 형제 슈퍼는 쌀과 연탄을 취급하던 가게가 아니었다. 과일이나 야채, 생선을 비롯하여 생활필수품들을 파는 구멍가게에 불과한 규모이긴 해도 이름만은 곧잘 '슈퍼'로 불리던 그런 가게였다. ☆ 형제 슈퍼가 느닷없이 쌀과 연탄을 벌여 놓고 빨간 페인트로 '쌀 · 연탄'이라고 쓴 어엿한 입간판까지 내다 놓은 것은 누가 뭐래도 김포 슈퍼의 개업과 발을 맞춘 것임이 분명하였다.

(멱서리: 곡식을 담는 데 쓰이도록 짚으로 촘촘히 만든 그릇.)
(석발기: 쌀에 섞인 돌을 골라내는 기계.)
(입간판: 벽에 기대어 놓거나 길에 세워 둔 간판.)

"우리도 연탄 배달합니다. 거기다 또, 대리점 대우라서 한 장에 2원씩 싸게 드립니다요. 쌀이라면 우리 고향 쌀, 아시지라우? 계화미, 호남 평야의 일등품만 취급하니까 한번 잡숴만 보세요. 틀림없다고요."

(계화미: 전북 부안군 계화면에서 나는 특산 쌀.)

김 반장이 만나는 동네 사람들마다에게 쏟아 놓는 대사였다. 아니, 일부러 가게 앞에 나와 서서 짐짓 쾌활한 얼굴과 목소리로 자신만만하게 단골들을 설득하였는

★ 별별 포인트 ★

< 갈등의 원인 >

김포 슈퍼
• 기존: 쌀, 연탄
• 추가: 생필품, 채소, 과일

↕ 같은 품목을 판매하게 됨.

형제 슈퍼
• 기존: 과일, 야채, 생선, 생활필수품(생필품)
• 추가: 쌀, 연탄

데, 사람들은 그제서야 형제 슈퍼와 김포 슈퍼의 간격이 일백 미터도 채 못 된다는 사실을 깨달았다. 그리고 김포에서 쌀과 연탄만을 취급했을 때는 모두 형제 슈퍼에서 물건을 샀다는 사실을 깨달았다. 모두들 경호네의 눈부신 발전에만 정신이 팔려서 깜박 김 반장을 잊고 있었던 것이다.

#2 핵심 태그
김포 슈퍼에서 팔던 쌀과 # ________ 을 팔기 시작한 형제 슈퍼

#3 김 반장은 이제 스물여덟의 역시 싹싹한 총각이었으며, 23통 5반을 손바닥 안에 꿰뚫고 있는 반장 직책을 가지고 있었다. 때문에 동네의 잡다한 사건에 그가 끼이지 않는 법이 없었고, 원미동 거리에서 가장 자주 듣게 되는 높다란 전라도 사투리도 틀림없이 그의 음성일 것이다. 그는 이 동네의 대변자이기도 하였다. 그의 형제 슈퍼에는 네 명의 어린 동생과 다리뼈가 부러져 직장을 잃은 아버지와 잔소리가 많은 어머니, 또 팔순의 할머니가 매달려 있었다. 식구가 복잡한 만큼 가게도 복잡하여, 누구 말대로 없는 것 빼고는 다 있는 만물상임은 틀림없지만, 기득권을 가진 가게답게 적잖이 무질서하고 부식의 신선미도 떨어지는 편이어서 사람들은 알게 모르게, 깔끔하게 정돈되어 있는 김포 슈퍼 쪽으로 발길을 돌렸던 것이다. 뭐든 새것이 역시 새 맛으로 좋은 법이었다. 그렇다고는 해도 김 반장이 그처럼 재빠르게 쌀과 연탄을 팔겠다고 나설 줄은 몰랐다. 아는 사람은 다 아는 일이지만, 지난가을 김 반장은 작은 짐차를 하나 샀다가 한 달도 못 되어 사고를 저질러 그 뒷수습에 바짝 쪼들리고 있는 중이었다. 물건도 실어 나르고 채소나 과일을 산지에서 밭떼기를 할 작정으로, 모아 놓은 장사 밑천을 다 털어서 차를 샀던 것인데, 그만 사람을 다치게 한 것이었다. 합의를 보고, 피해자 보상도 해 주고 이것저것 뒷갈망을 하는 데 차를 판 것은 물론이요 빚도 꽤 많이 얻었다는 내막을 동네 사람들은 알고 있었다. 그런 처지에 빚을 얻어 싸전을 벌이고 연탄까지 팔겠다고 나서다니, 지물포 주 씨 말대로 제 죽을 구멍 파는 미련한 짓이라고 욕을 먹을 만도 하였다. 경호 아버지가 쌀과 연탄을 도맡아 대고 있는 줄을 분명히 알면서 말이다.

- 대변자: 어떤 사람이나 단체를 대신하여 의견을 내는 일을 맡은 사람.
- 만물상: 일상생활에 필요한 온갖 물건을 파는 가게.
- 기득권: 이미 차지하고 있는 권리.
- 밭떼기: 작물을 밭에 나 있는 채로 몽땅 사는 일.
- 뒷갈망: 일의 뒤끝을 맡아서 처리함.
- 내막: 겉으로 드러나지 않은 일의 속 내용.
- 싸전: 쌀과 그 밖의 곡식을 파는 가게.

★ 별별 포인트 ★

< '김 반장'의 처지 >

김 반장

- 28세 총각
- 23통 5반 반장
- 동네의 대변자
- 여러 식구의 가장
- 많은 빚을 지고 있음.

→ 무리해서라도 가게를 확장하게 된 이유

"김포 슈퍼요? 아, 난 상관없어요. 우리도 연탄 배달, 쌀 배달 다 하는데요. 무작정이 아니라구요. 관청에다 허가받고 시작한 장사인데 나라고 왜 못 해요?"

말은 요렇게 하여도 그동안 김 반장이 얼마나 끙끙 앓았는지 짐작할 만하였다. 비어 있는 점포에 구멍가게가 들어설까 봐 가게 계약 건수만 있으면 강남 부동산을 번질나게 드나들곤 하던 김 반장이었다. 김포 쌀 상회가 김포 슈퍼로 도약하여 자신의 목을 조를 줄은 생각지도 못했을 것이다. 동네의 조그마한 구멍가게가 대

- 도약하여: 더 높은 단계로 발전하여.

상으로 하는 지역은 암암리에 지정되어 있는 터, 같은 업종의 가게가 새로 문을 열 때는 일정 거리 이상을 유지하는 게 상호간의 예의라는 형제 슈퍼의 김 반장 이론은 분명히 옳았다. 우리 가게 하나도 제대로 소화하지 못하는 조그마한 구역에 똑같은 구멍가게가 마주 보고 앉아서 어쩌자는 것이냐고, 다 같이 죽자는 모양인데 나는 못 죽어 주겠다, 옛정을 봐서 우리 연탄이나 쌀도 사 줘야 할 게 아니냐, 가격도 싸고 품질도 월등히 좋은데…….

암암리: 남이 모르는 사이.

월등히: 다른 것과 견주어서 수준이 정도 이상으로 뛰어나게.

김 반장은 원미동 거리에 서서 입이 닳도록 말했다. 김 반장의 어머니도, 김 반장의 허리 꼬부라진 할머니도 동네 여자들을 향해

"우리 연탄도 좀 때요. 이번 참엔 우리 것 좀 들여놓아, 꼭!"

하며 우겨 대었다. 팔순을 넘긴 김 반장 할머니는 꼬부라진 허리를 아랑곳 않고 추위를 피해 종종걸음 치는 아낙네들 뒤를 따라가면서까지 같은 말을 되풀이했다.

"우리 것도 사 주랑게……."

#3 핵심 태그
김 반장이 # 슈퍼를 의식하여 어려운 형편에도 품목을 늘린 이유

#4 참말로 딱하게 된 것은 원미동 여자들이었다. 이제까지 대어 놓고 쓰던 경호네를 나 몰라라 하고 김 반장한테 돌아설 수가 없는 것이 김포 슈퍼 개업날에 무심코 던진 말들을 기억하고 있는 탓이었다.

"모쪼록 잊지 말고 들러 주십시오. 성의껏 모시겠습니다."

허리 굽혀 인사하면서 은박지 쟁반에 담긴 팥떡을 나누어 주던 경호네한테 누구라 할 것 없이 덕담처럼 던진 말이 있었다.

덕담: 남이 잘 되기를 비는 말.

"다른 건 몰라도 쌀 안 먹고 연탄 안 때고 살 수는 없으니까 경호네를 잊고 살 수는 없지."

딱히 그것뿐이라면 또 모른다. 듣기 좋은 말만 뜯어먹고 살 수 있는 세상은 아니므로, 그깟 덕담쯤이야 인사치레로 돌릴 수도 있었다. 하지만 김포 슈퍼에 들를 때마다 은근히 얹어 주던 덤이며, 찾아 줘서 고맙다고 손에 쥐여 주던 빨랫비누 한 장씩을 누구라도 한 번씩은 받게 마련이었으므로, 입을 싹 씻고 돌아서기가 여간 난처한 게 아니었다.

인사치레: 성의 없이 겉으로만 하는 인사.

★ 별별 포인트 ★

< 원미동 여자들의 내적 갈등 >

김포 슈퍼
경호네에게 던진 덕담, 김포 슈퍼가 주는 덤

↕ 어느 슈퍼로 가야 할지 난처해짐.

형제 슈퍼
지금까지의 정, 김 반장의 불쌍한 처지

일이 이쯤에 이르자, 김 반장이 쌀과 연탄을 벌인 게 잘못이라는 사람들도 있고, 애초에 가게를 확장한 경호네가 잘못이라는 사람들도 생겨났다. 그렇지만 어느 쪽도 딱 부러지게 죽을죄를 진 것은 아니었다. 모두 다 살기 위하여, 어쨌거나 한번 살아 보기 위하여 저러는 것이었으므로 애꿎은 동네 사람들만 가게 가기가 심란스러워진 셈이었다.

애꿎은: 아무런 잘못 없이 억울한.

#4 핵심 태그
어느 슈퍼로 가야 할지 입장이 난처해진 # 여자들

작품 줄거리 요약하기

앞부분 줄거리

원래 쌀과 연탄만을 팔던 경호네 내외의 '김포 쌀 상회'가 '김포 슈퍼'로 가게를 확장하며, 생필품부터 채소와 과일까지 다양한 품목을 팔기 시작한다. 동네 사람들은 부지런하고 싹싹한 경호네의 개업을 축하하며 경호네를 부러워한다.

제시 장면 줄거리

김포 슈퍼의 개업에 맞춰 형제 슈퍼의 ❶ ______ 은 김포 쌀 상회에서만 팔던 ❷ ______ 과 연탄을 팔기 시작한다. 두 슈퍼의 품목이 겹치면서 동네 사람들은 둘 중 어느 가게로 갈지 난처해한다.

뒷부분 줄거리

김포 슈퍼가 물건 가격을 낮추자, 형제 슈퍼도 물건 가격을 낮추며 가격 경쟁을 한다. 두 슈퍼의 가격 경쟁으로 싼 가격에 물건을 살 수 있게 된 동네 사람들은 은근히 기뻐한다. 그러던 차에 두 슈퍼 사이에 싱싱 청과물이 개업한다. 싱싱 청과물 주인은 막 이사를 와서 동네 형편을 모르고, 두 슈퍼에서 파는 것과 같은 물건을 판다.

김포 슈퍼와 형제 슈퍼가 동맹을 맺었다는 소문이 퍼지고, 두 슈퍼가 함께 싱싱 청과물의 장사를 방해한다. 결국 싱싱 청과물 주인과 싸움이 벌어지고, 싸움에서 진 싱싱 청과물 주인은 가게 문을 닫고 사라진다. 이어 원미동에는 전파상이 새로 들어온다는 소문이 돈다.

오엑스 확인 문제

01 이 글에 대한 설명으로 맞으면 ○표, 틀리면 ×표를 하시오.

인물	경호네와 김 반장은 같은 동네에 산다.	
사건	김포 슈퍼의 확장으로 갈등이 시작된다.	
배경	형제 슈퍼와 김포 슈퍼는 원미동에 있다.	
소재	형제 슈퍼는 원래 쌀과 연탄만 팔았다.	

02 #1에서 알 수 있는 김포 슈퍼가 성공할 조짐이 아닌 것은?

① 누구에게든 친절한 경호 엄마의 태도
② 부지런하게 일하는 경호 아버지의 모습
③ 생필품, 채소, 과일 등 다양한 품목 취급
④ 시장 한복판에 있어 사람들이 찾기 쉬운 위치
⑤ 판매하는 물건들이 값도 싸고 질도 좋다는 소문

별별 포인트

03 '김 반장'에 대한 설명으로 적절하지 않은 것은?

① 스물여덟 살의 싹싹한 총각으로 동네 반장이다.
② 다리뼈가 부러져 직장을 잃자 형제 슈퍼를 차렸다.
③ 교통사고 처리를 하느라 차도 팔고 빚도 많이 졌다.
④ 할머니, 아버지, 어머니, 동생 넷을 먹여 살리고 있다.
⑤ 모아 놓은 장사 밑천으로 밭떼기에 필요한 짐차를 샀다가 사람을 다치게 하였다.

가이드북 14쪽

별별 포인트

04 다음은 김포 슈퍼와 형제 슈퍼가 갈등하게 된 원인이다. 빈칸에 들어갈 알맞은 말을 쓰시오.

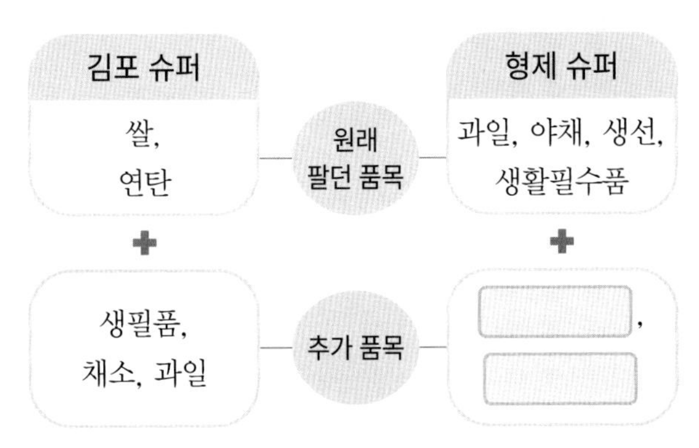

05 동네 사람들이 알게 모르게 김포 슈퍼 쪽으로 발길을 돌리게 된 까닭으로 가장 적절한 것은?

① 김 반장보다 경호네와 좀 더 친해서
② 김포 슈퍼가 형제 슈퍼보다 거리상 가까워서
③ 김포 슈퍼가 형제 슈퍼보다 물건이 다양해서
④ 김포 슈퍼가 형제 슈퍼보다 홍보를 많이 해서
⑤ 김포 슈퍼가 형제 슈퍼보다 깔끔하게 정돈되어 있어서

별별 포인트

06 **#4**에서 서술자가 다음처럼 말한 까닭으로 가장 적절한 것은?

> 참말로 딱하게 된 것은 원미동 여자들이었다.

① 김 반장의 할머니를 볼 면목이 없어서
② 어느 가게에서 물건을 사야 할지 몰라서
③ 이제부터 경호네를 나 몰라라 하게 되어서
④ 김포 슈퍼에서 받은 덤을 돌려주어야 해서
⑤ 김포 슈퍼에 했던 덕담을 인사치레로 돌려야 해서

07 김포 슈퍼의 개업에 대한 '김 반장'의 속마음을 나타낸 말로 가장 적절한 것은?

① '비어 있는 점포를 빌려 나도 가게를 확장해야지.'
② '이참에 다른 업종으로 변경해서 새로 장사를 해 봐야지.'
③ '작은 짐차라도 빌려서 다른 마을로 물건을 팔러 나가야겠어.'
④ '나도 김포 슈퍼에서 팔던 품목을 추가해서 손님들을 끌어모아야겠어.'
⑤ '관청에다 호소해서 김포 슈퍼에서 파는 품목을 조정해 달라고 해야겠어.'

08 다음 선생님의 질문에 대한 대답으로 적절하지 <u>않은</u> 것은?

> 선생님: 소설을 읽을 때에 소설 속의 장면을 직접 그려 보거나 마음속에 떠올려 보면 장면을 이해하는 데 도움이 됩니다. 이 소설에서는 어떤 장면이 떠오르나요?

① 경호네가 강남 부동산에 드나들며 계약을 확인하는 모습
② 김 반장이 슈퍼 앞 공터에 열심히 연탄을 쌓아 두고 있는 모습
③ 김포 슈퍼에서 일백 미터도 안 되는 거리에 형제 슈퍼가 있는 모습
④ 형제 슈퍼 입구의 천막 속에 쌀과 잡곡들이 담긴 멱서리가 놓여 있는 모습
⑤ 김포 슈퍼에서 물건을 사는 손님들에게 빨랫비누를 얹어 주는 경호네의 모습

03

노새 두 마리

최일남

배경 1970년대 겨울, 도시 변두리 동네

가난한 사람들이 모여 사는 변두리 동네. 이 동네 사람들은 하루 벌어 하루 먹고사는 처지임.

인물 '나'

아버지가 연탄 배달할 때 따라다님. 아버지와 노새에게 벌어진 사건을 어린아이의 눈으로 전달함.

소재 노새

사건 연탄 배달 도중 달아난 노새

살얼음이 낀 가파른 골목길에서 마차가 넘어지고, 이 틈에 풀려난 노새가 도망가지만 결국 찾지 못함.

인물 아버지

노새로 연탄 배달을 함. 노새가 도망치자 자기가 노새가 되어서라도 가족을 먹여 살리겠다고 결심함.

읽기 포인트» 연탄을 배달하던 도중 노새가 달아나자 '나'와 아버지는 온종일 노새를 찾아다닌다. 노새가 달아난 사건이 등장인물에게 준 영향과 제목의 의미를 생각하며 읽어 보자.

#1 그 가파른 골목길 어귀(드나드는 길의 첫머리.)에 이르자 아버지는 미리 노새 고삐(말이나 소에게 일을 시키기 위해 잡아매는 줄.)를 낚아 잡고 한달음에 올라갈 채비를 하였다. 그러나 어쩐 일인지 다른 때 같으면 사백 장 정도 싣고는 힘 안 들이고 올라설 수 있는 고개인데도 ✫이날따라 오름길 중간쯤 되는 곳에서 턱 걸리고 말았다. 아버지는 어, 하는 눈치더니 고삐를 거머쥐고 힘껏 당겼다. 이마에 힘줄이 굵게 돋았다. 얼굴이 빨개졌다. 나는 얼른 달라붙어 죽어라고 밀었다. 그러나 ✫길바닥에는 살얼음(얇게 살짝 언 얼음.)이 한 겹 살짝 깔려 있어서 마차를 미는 내 발도 줄줄 미끄러져 나가기만 했다. 노새는 앞뒤 발을 딱딱 소리를 낼 만큼 힘껏 땅을 밀어 냈으나 마차는 그때마다 살얼음 위에 노새의 발자국만 하얗게 긁힐 뿐 조금도 올라가지 않았다. 아직은 아래쪽으로 밀려 내리지 않고 제자리에 버티고 선 것만도 다행이었다. 사람들이 몇 명 지나갔으나 모두 쳐다보기만 할 뿐 아무도 달라붙지는 않았다. 그전에도 그랬다. ✫사람들은 얼핏 도와주고 싶은 생각이 났다가도, 상대가 연탄 마차인 것을 알고는 감히 손을 내밀지 못했다. 도대체 어디다 손을 댄단 말인가. 제대로 하자면 손만 아니라 배도 착 붙이고 밀어야 할 판인데 그랬다간 옷을 모두 망치지 않겠는가. 옷을 망치면서까지 친절을 베풀 사람은 이 세상엔 없다고 나는 믿어 오고 있다. 그건 그렇고, 그런 시간에도 마차는 자꾸 밀려 내려오고 있었다. 돌을 괴려고(기울어지거나 쓰러지지 않도록 아래를 받쳐 안정시키려고.) 주변을 살펴보았으나 그만한 돌이 얼른 눈에 띄지 않을 뿐더러, 그나마 나까지 손을 놓으면 와르르 밀려 내려올 것 같아서 손을 뗄 수가 없었다. 아버지는 평소의 그답지 않게 사정없이 노새에게 매질을 해 댔다.

"이랴, 우라질 놈의 노새, 이랏!"

노새는 눈을 뒤집어 까다시피 하면서 바득바득(악착스럽게 애쓰는 모양.) 악을 써 댔으나 판은 이미 그른 판이었다. 그때였다. 노새가 발에서 잠깐 힘을 빼는가 싶더니 마차가 아래쪽으로 와르르 흘러내렸다. 뒤미처(그 뒤에 곧 잇따라.) 노새가 고꾸라지고 연탄 더미가 데구루루 무너졌다. 아버지는 밀려 내려가는 마차를 따라 몇 발짝 뒷걸음질을 치다가 홀랑 물구나무서는 꼴로 나자빠졌다. 나는 얼른 한옆으로 비켜섰기 때문에 아무 일도 없었다. 그러나 정작 일은 그다음에 벌어지고 말았다. 허우적거리며 마차에 질질 끌려가던 노새가 마차가 내박쳐진 자리에서 벌떡 일어서더니 뒤도 안 돌아보고 냅다 뛰기 시작한 것이다. 정확히 말하면 벌떡 일어섰다가 순간적으로 아버지와 내가 있는 쪽을 힐끔 쳐다보고는 이내 뛰어 버린 것이다. ✫마차가 넘어지면서 무엇이 부러져 몸이 자유롭게 된 모양이었다.

✶별별 포인트✶

〈 '노새'가 달아나게 된 과정 〉

가파른 골목길 중간에서 마차가 걸림.

↓

살얼음이 깔려 마차가 점점 뒤로 밀림.

↓

연탄 마차라서 사람들이 도와주지 않음.

↓

마차가 넘어지면서 노새가 자유롭게 됨.

↓

노새가 달아남.

"어, 어. 내 노새." / 아버지는 넘어진 채 그 경황에도 뛰어가는 노새를 쳐다보더니 얼굴이 새하얘졌다. 그러나 그런 망설임도 그때뿐 아버지는 힘들게 일어서자 딴사람이 되어 빠른 걸음으로 노새를 뒤쫓았다.

놀라고 두려워 허둥지둥함.

"내 노새, 내 노새." / 아버지는 크게 소리 지르는 것도 아니고 그렇다고 입안엣소리도 아닌, 엉거주춤한 소리로 여러 번 거듭 말하면서 노새가 달려간 곳으로 뛰어갔다. 나도 얼른 아버지의 뒤를 따랐다. 노새는 십 미터쯤 앞에 뛰어가고 있었다. 뒤미처 앞쪽에서는 악 악 하는 비명 소리가 들려왔다. 어깨에 스케이트 주머니를 메고 오던 아이들 둘이 기겁을 해서 길옆으로 비켜서고, 뒤따라오던 여학생 한 명이 엄마! 하면서 어쩔 줄 몰라 하다가 그 자리에 폭삭 주저앉고 말았다. 막 옆 골목을 빠져나오던 택시가 찍 브레이크를 걸더니 덜렁 한바탕 춤을 추고 멎었다. 금세 이 집 저 집에서 사람들이 쏟아져 나와서 골목은 어느 사이 수많은 사람들이 모여 웅성대기 시작했다.

숨이 막힐 듯이 갑작스럽게 겁을 내며 놀람.

여러 사람이 모여 소란스럽게 떠드는 소리가 자꾸 나기.

"왜 그래, 왜 그래." / "무슨 일이야, 무슨 일이야."

"말이 도망갔나 봐, 말이 도망갔나 봐." / "무슨 말이, 무슨 말이."

"저기 뛰어가지 않아."

"얼라 얼라, 그렇군. 말이 뛰어가는군."

"별꼴이야, 말 마차가 지금도 있었군."

이런 웅성거림 속을 아버지는 두 주먹을 불끈 쥐고 뜀박질 쳐 갔다.

"내 노새, 내 노새." 〈중략〉

#1 핵심 태그
가파른 골목길을 오르다 마차가 미끄러지자 그 틈에 달아난
#

#2 동물원을 나왔을 때 이미 거리는 밤이었다. 이번엔 집 쪽으로 걸었다. 그럴 수밖에 우리는 더 갈 데가 없었던 것이다. 우리 동네가 저만치 보였을 때 아버지는 바로 눈앞에 있는 ✡대폿집에서 발을 멈추었다. 힐끗 나를 돌아보고 나서 다짜고짜 나를 술집으로 끌고 들어갔다. 이런 일도 전에는 없던 일이었다. 술집 안에는 사람들이 가득 차서 왁왁 떠들어 대고 있었다. 돼지고기를 굽는 냄새, 찌개 냄새, 김치 냄새가 안에 가득했다. 사람들은 우리를 의아스러운 눈초리로 쳐다보았으나 이내 시선을 거두고 자기들의 얘기 속으로 다시 들어갔다. 나는 들어가자마자 그 냄새들을 힘껏 들이마셨다. 쓰러질 것 같았다. 아버지는 소주 한 병과 안주를 시키더니 안주는 내 쪽으로 밀어주고 술만 거푸 마셔 댔다. 아버지는 술이 약한 편이어서 저러다가 어쩌나 하고 걱정이 되었다.

큰 술잔으로 마시는 술을 파는 집.

의심스럽고 이상한 데가 있는.

"아버지, 고만 드세요. 몸에 해로워요." / "으응."

✶별별 포인트✶

〈 '대폿집'의 기능 〉

아버지가 노새를 잃어버린 슬픔을 술로 달래는 곳

\+

이제부터 자기가 노새가 되겠다며 아버지가 의지를 다지는 곳

대답하면서도 아버지는 술잔을 놓지 않았다. 얼마나 지났을까. 안주를 계속 주워 먹었으므로 어느 정도 시장기를 면한 나는 비로소 아버지를 쳐다보았다.

"✡ 이제부터 내가 노새다. 이제부터 내가 노새가 되어야지 별수 있니? 그놈이 도망쳤으니까 이제 내가 노새가 되는 거지."

기분 좋게 취한 듯한 아버지는 놀라는 나를 보고 히힝 한 번 웃었다. 나는 어쩐지 그런 아버지가 무섭지만은 않았다. 그러면 형들이나 나는 노새 새끼고, 어머니는 암노새고, 할머니는 어미 노새가 되는 것일까? 나도 아버지를 따라 히히힝 웃었다. 어른들은 이래서 술집에 오는 모양이었다. 나는 안주만 집어먹었는데도 술 취한 사람마냥 턱없이 즐거웠다. 노새 가족……. 노새 가족은 우리 말고는 이 세상에 또 없을 것이다.

#2 핵심 태그
\# 　　　　에서 이제부터는 자신이 노새가 되겠다고 말하는 아버지

#3 그러나 그러한 생각은 아버지와 내가 집에 당도했을 때 무참히 깨어지고 말았다. 우리를 본 어머니가 허둥지둥 달려 나와 매달렸다.

✡

"이걸 어쩌우, 글쎄 경찰서에서 당신을 오래요. 그놈의 노새가 사람을 다치고 가게 물건들을 박살을 냈대요. 이걸 어쩌지."

"노새는 찾았대?"

"찾거나 그러면 괜찮게요? 노새는 간데온데없고 사람들만 다치고 하니까, 누구네 노새가 그랬는지 수소문 끝에 우리 집으로 순경이 찾아왔지 뭐유."

(수소문: 떠도는 소문을 두루 살핌.)

오늘 낮에 지서에서 나온 사람이 우리 노새가 튀는 바람에 여기저기서 많은 피해를 입었으니 도로 무슨 법이라나 하는 법으로 아버지를 잡아넣어야겠다고 이르고 갔다는 것이었다. 아버지는 술이 확 깨는 듯 그 자리에 선 채 한동안 눈만 뒤룩뒤룩 굴리고 서 있더니 힝 하고 코를 풀었다. 그러고는 아무 말 없이 시적시적 문밖으로 걸어 나갔다. 나는 '아버지.' 하고 뒤를 따랐으나 아버지는 돌아보지도 않고 어두운 골목길을 나가고 있었다. ✡ 나는 그 순간 또 한 마리의 노새가 집을 나가는 것 같은 착각을 일으켰다. 그러고는 무엇인가가 뒤통수를 때리는 것을 느꼈다. 아, 우리 같은 노새는 어차피 이렇게 비행기가 붕붕거리고, 헬리콥터가 앵앵거리고, 자동차가 빵빵거리고, 자전거가 쌩쌩거리는 대처에서는 발붙이기 어려운 것인가 하는 생각이 들었다. 언젠가 남편이 택시 운전사인 칠수 어머니가 하던 말, '최소한도 자동차는 굴려야지 지금이 어느 땐데 노새를 부려.' 했다는 말이 생각났다. 그러나 그것은 잠깐이고 나는 금방 아버지를 좇았다. 또 한 마리의 노새를 찾아 골목길을 마구 뛰었다.

(시적시적: 힘들이지 않고 느릿느릿 행동하거나 말하는 모양.)

(대처: 도회지. 사람이 많이 살고 상공업이 발달한 지역.)

(부려: 말, 소나 다른 사람을 시켜 일을 하게 해.)

★ 별별 포인트 ★

< 제목 '노새 두 마리'의 의미 >

노새 두 마리 → 아버지 / 노새

- 힘들고 고달픈 일을 하는 존재
- 산업화·도시화가 되는 시대 변화에 적응하지 못하고 소외되는 존재

#3 핵심 태그
\# 　　　　가 사고를 쳐서 순경이 찾아왔다는 말을 듣고 집을 나가는 아버지

작품 줄거리 요약하기

앞부분 줄거리

도시 변두리에 살고 있는 '나'의 가족은 아버지가 노새로 연탄 배달을 하며 먹고산다. 그러다 새로 집들이 들어서면서 동네에 변화가 생기고, 골목 하나를 경계로 구동네와 새 동네로 나뉜다.

가난한 구동네와 넉넉한 새 동네 사람들은 서로 어울리지 않는다. 노새를 보는 반응도 달랐는데 구동네 사람들은 노새를 못살게 구는 반면, 새 동네 사람들은 신기해하고 귀여워한다. '나'는 그런 노새를 정성껏 돌보며 정이 든다.

제시 장면 줄거리

그런데 어저께 갑자기 노새가 도망가는 일이 벌어진다. 살얼음이 낀 가파른 골목길을 오르다 1 ____ 마차가 넘어지고 마차에서 풀린 노새가 달아난 것이다. '나'와 아버지는 노새를 쫓아 가지만 잡지 못한다.

중략 부분 줄거리

'나'는 그날 밤 노새가 자유롭게 뛰어다니는 꿈을 꾼다. 다음 날 '나'와 아버지는 노새를 찾아 하루 종일 돌아다니다 해가 질 무렵 동물원에 들어간다. 얼룩말 우리 앞에 멈춘 아버지를 보면서 '나'는 아버지가 말이나 노새와 닮았다고 생각한다.

제시 장면 줄거리

하루 종일 굶은 '나'와 아버지는 대폿집에 들어가고, 아버지는 자기가 2 ____ 가 되겠다고 말한다. 집으로 돌아온 아버지는 경찰서에서 왔다 간 이야기를 듣고는 다시 어두운 골목으로 사라진다.

오엑스 확인 문제

01 이 글에 대한 설명으로 맞으면 ○표, 틀리면 ×표를 하시오.

인물	아버지는 연탄을 배달하는 일을 한다.	
사건	어머니와 아버지는 경찰서에 잡혀간다.	
배경	'나'와 아버지는 대폿집에 들른다.	
소재	노새는 현대적인 교통수단이다.	

별별 포인트

02 #1의 사건이 일어난 과정을 다음과 같이 정리할 때, 적절하지 않은 것은?

① 평소보다 연탄을 많이 싣지 않았는데도 마차가 언덕 중간에서 걸렸다. → ② 길바닥에 살얼음이 깔려 있어서 마차가 뒤로 밀렸다. → ③ '나'와 사람들이 아버지를 도와 마차에 달라붙어 밀었지만 마차는 움직이지 않았다. → ④ 마차가 넘어지면서 마차에서 풀린 노새가 도망을 갔다. → ⑤ 아버지는 노새를 뒤쫓고, 그 모습을 보며 사람들이 웅성거렸다.

03 이 글의 특징으로 가장 적절한 것은?

① 현실과는 동떨어진 인물이 주인공이다.
② 이야기를 전달하는 인물이 어린아이이다.
③ 인물 간의 대화를 중심으로 사건이 전개된다.
④ 인물의 행동보다는 심리 묘사가 주로 나온다.
⑤ 인물들이 서로 싸우고 갈등하면서 내용이 진행된다.

04 보기 에서 '노새'의 의미로 적절한 것을 모두 고른 것은?

보기

ㄱ. 힘겹고 고단하게 일하는 아버지를 상징한다.
ㄴ. 인간의 손이 닿지 않은 있는 그대로의 자연물이다.
ㄷ. 고달픈 현실에서 도망치고 싶은 '나'의 마음을 나타낸다.
ㄹ. 급변하는 도시의 삶에 적응하지 못하는 존재를 의미한다.

① ㄱ, ㄹ
② ㄴ, ㄷ
③ ㄱ, ㄴ, ㄷ
④ ㄴ, ㄷ, ㄹ
⑤ ㄱ, ㄴ, ㄷ, ㄹ

05 이 글의 시대적 배경을 알게 해 주는 소재로 적절한 것은?

① 택시
② 동물원
③ 경찰서
④ 노새 마차
⑤ 가파른 골목길

별별 포인트

06 #2 에서 '아버지'가 다음과 같이 말한 까닭으로 가장 적절한 것은?

"이제부터 내가 노새다. 이제부터 내가 노새가 되어야지 별수 있니? 그놈이 도망쳤으니까 이제 내가 노새가 되는 거지."

① 노새를 꼭 잡고 싶어서
② 도망친 노새가 원망스러워서
③ 아들에게 멋있게 보이고 싶어서
④ 무관심한 주변 사람들에게 실망해서
⑤ 가족을 책임지겠다는 의지를 다지기 위해서

07 다음은 #3 의 일부분이다. 밑줄 친 소재의 성격이 나머지와 다른 것은?

아, 우리 같은 노새는 어차피 이렇게 ①비행기가 붕붕거리고, ②헬리콥터가 앵앵거리고, 자동차가 빵빵거리고, ③자전거가 쌩쌩거리는 대처에서는 발붙이기 어려운 것인가 하는 생각이 들었다. 언젠가 남편이 택시 운전사인 칠수 어머니가 하던 말, '최소한도 ④자동차는 굴려야지 지금이 어느 땐데 ⑤노새를 부려.' 했다는 말이 생각났다.

08 보기 를 참고할 때, 작가가 이 글을 통해 드러내고자 하는 바로 가장 적절한 것은?

보기

「노새 두 마리」의 작가 최일남은 우리 사회의 현실을 비판하는 작품을 많이 창작하였다. 그의 작품에는 도시화와 산업화가 급격하게 이루어진 1970년대의 모습이 잘 드러나 있다. 그는 가난하고 고달프게 살아가는 하층민들이 느낀 소외감과 박탈감, 남에게 무관심한 도시인들의 모습을 작품에 담아 현실을 비판하였다.

① 힘든 시기에 더욱 빛을 발하는 가족의 사랑
② 물질 위주로만 생각하는 현대인들의 이기심
③ 어려운 이웃을 도와주는 이웃 간의 끈끈한 정
④ 시대 변화에 적응하지 못하고 소외된 계층의 힘겨운 삶
⑤ 현대 문명의 발전으로 점점 사라져 가는 우리의 전통 문화

8문제 중에 ______문제 맞혔어!

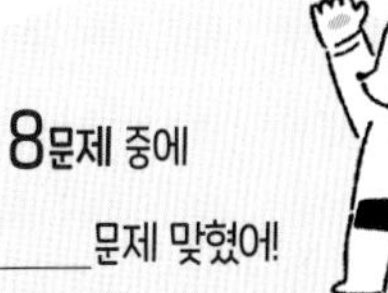

04 낙화

이형기

자연 현상

인간의 삶

시어 꽃
사랑, 청춘, 젊음을 의미함.

시어 낙화
이별, 결별, 죽음을 의미함.

시어 녹음, 열매
영혼의 성숙을 의미함.

표현 자연 현상과 인간의 삶을 연결함.
꽃이 피었다가 지고 열매를 맺는 것처럼 만남과 헤어짐이 있어야 정신적으로 성숙한다는 주제를 전달함.

화자 '나'
이별을 통해 영혼이 성숙될 수 있다며 이별에 대해 긍정적으로 받아들임.

읽기 포인트» 이 시는 꽃이 피었다 지고 열매를 맺는 자연 현상을 인간의 삶과 연결하고 있다. 이별을 만남과 헤어짐 이후에 얻는 정신적 성숙이라고 받아들이는 화자의 자세를 파악하며 읽어 보자.

가야 할 때가 언제인가를
분명히 알고 가는 이의
뒷모습은 얼마나 아름다운가.

봄 한철
격정을 인내한
강렬하고 갑작스러워 누르기 어려운 감정.
✻나의 사랑은 지고 있다.

분분한 ✻낙화…….
여럿이 한데 뒤섞여 어수선한.
✻결별이 이룩하는 축복에 싸여
지금은 가야 할 때.

무성한 ✻녹음과 그리고
푸른 잎이 우거진 나무나 수풀.
머지않아 ✻열매 맺는
가을을 향하여

✻나의 청춘은 꽃답게 죽는다.

헤어지자
✻섬세한 손길을 흔들며
하롱하롱 꽃잎이 지는 어느 날.
작고 가벼운 물체가 떨어지면서 잇따라 흔들리는 모양.

✻나의 사랑, 나의 결별
✻샘터에 물 고인 듯 성숙하는
내 영혼의 슬픈 눈.

핵심 태그

가야 할 때를 알고 가는 이의 아름다운
❶ #

화자의 ❷ #
이 지듯 흩날리며 떨어지는 꽃

여름의 녹음을 지나 가을의 ❸ #
를 맺기 위한 낙화

꽃잎이 떨어지듯 결별로 성숙하는 화자의
❹ #

★별별 포인트★

〈 '낙화'와 '이별'의 관계 〉

자연 현상	인간의 삶
개화(꽃이 핌.)	사랑
⇓	⇓
낙화(꽃이 짐.)	이별
⇓	⇓
녹음, 열매	성숙

→ 자연 현상과 인간의 삶을 연결 지어 주제를 강조함.

★별별 포인트★

〈 이 시의 다양한 표현 방법 〉

시구	표현 방법
'결별이 이룩하는 축복'	역설법
'섬세한 손길을 흔들며'	의인법
'나의 사랑', '나의 청춘', '나의 결별'	은유법
'샘터에 물 고인 듯'	직유법

[01~08] 다음 시를 읽고 물음에 답하시오.

가야 할 때가 언제인가를
분명히 알고 ⓐ가는 이의
뒷모습은 얼마나 아름다운가.

ⓑ봄 한철
격정을 인내한
나의 사랑은 지고 있다.

분분한 ㉠낙화…….
결별이 이룩하는 축복에 싸여
ⓒ지금은 가야 할 때.

무성한 녹음과 그리고
머지않아 열매 맺는
가을을 향하여

나의 청춘은 ㉡꽃답게 죽는다.

헤어지자
섬세한 손길을 흔들며
ⓓ하롱하롱 꽃잎이 지는 어느 날.

나의 사랑, 나의 결별
샘터에 물 고인 듯 성숙하는
내 영혼의 ⓔ슬픈 눈.

오엑스 확인 문제

01 이 시에 대한 설명으로 맞으면 ○표, 틀리면 ×표를 하시오.

화자 — 화자는 이별을 겪었다. ( )

시어 — 계절을 나타내는 시어가 쓰였다. ( )

표현 — 속마음을 반대로 표현하는 방법이 사용되었다. ( )

별별 포인트

02 이 시에 대한 설명으로 가장 적절한 것은?

① 자연 현상을 인간의 삶에 빗대어 표현하고 있다.
② 이별의 아픔을 종교적인 믿음으로 극복하고 있다.
③ 삶의 목표를 상실한 화자의 슬픔을 강조하고 있다.
④ 재회에 대한 기대로 현실의 고통을 참아 내고 있다.
⑤ 사랑하는 사람과 이별한 화자가 자신을 비웃고 있다.

별별 포인트

03 ㉠, ㉡의 함축적 의미로 적절하지 않은 것은?

	㉠ 낙화	㉡ 꽃
①	이별	만남
②	결별	사랑
③	죽음	젊음
④	소멸	청춘
⑤	성숙	영혼

04 다음과 같은 표현 방법이 사용된 시구로 적절한 것은?

> 섬세한 손길을 흔들며
> 하롱하롱 꽃잎이 지는 어느 날.

① 내 마음은 호수요
② 접동 접동 아우래비 접동
③ 뒷문 밖에는 갈잎의 노래
④ 정작으로 고와서 서러워라
⑤ 꽃가루와 같이 부드러운 고양이의 털에

05 이 시에서 하강적인 분위기를 만드는 시어로 적절하지 않은 것은?

① 뒷모습 ② 지고 있다
③ 녹음 ④ 죽는다
⑤ 헤어지자

별별 포인트

06 보기의 밑줄 친 부분에 해당하는 표현 방법이 사용된 시행을 이 시에서 찾아 쓰시오.

보기
역설은 표면적으로는 이치에 맞지 않는 모순처럼 보이지만 실제 그 속에는 진리나 진실을 담고 있다. 즉 역설은 표현 자체가 앞말과 뒷말이 논리적으로 모순되게 표현되지만, 실은 그 속에 진실한 뜻이 담겨 있는 것이다.

____

07 다음은 이 시를 분석한 학생의 노트이다. 적절하지 않은 것은?

- **화자의 말투:** 독백하는 듯한 말투를 사용하여 화자의 정서를 드러낸다. ……… ①
- **시간적 배경:** '봄'에서 '가을'로 시간이 흐르면서 화자의 슬픔이 심화된다. ……… ②
- **이 시의 표현 방법 1 - 의문형의 활용:** 1연에서 의문형 문장을 사용하여 성숙한 이별의 아름다움을 강조한다. ……… ③
- **이 시의 표현 방법 2 - 시각적 심상:** 3연과 6연에서는 시각적 심상을 사용하여 꽃이 지는 모습을 감각적으로 표현한다. ……… ④
- **이 시의 주제:** 이별 뒤에 얻는 정신적 성숙을 노래한다. ……… ⑤

08 ⓐ~ⓔ에 대한 설명으로 가장 적절한 것은?

① ⓐ '가는 이'는 화자가 그리워하는 사람을 의미한다.
② ⓑ '봄 한철'은 열정이 가득한 인생의 청춘기를 비유한다.
③ ⓒ '지금은 가야 할 때'는 이별을 망설이는 화자의 태도를 보여 준다.
④ ⓓ '하롱하롱'은 화자가 느끼는 인생의 허무함을 나타낸다.
⑤ ⓔ '슬픈 눈'은 아직까지 남아 있는 화자의 미련을 강조한다.

8문제 중에 ______문제 맞혔어!

05 구두

계용묵

배경 초어스름, 창경궁 돌담길

인물 '나'(글쓴이 자신)
일부러 징을 박은 게 아닌데 구두 소리 때문에 젊은 여자가 자신을 불량배로 오해하자 서글퍼짐.

소재 구두 징 소리
구두 수선을 할 때 박은 징 때문에 걸을 때마다 금속성 소리가 남.

사건 '나'가 '젊은 여자'에게 불량배로 오해를 산 일
앞에 걷던 젊은 여자는 '나'가 자신을 쫓아오는 줄 알고 빠른 걸음으로 도망치듯 가다 결국 옆 골목길로 빠짐.

읽기 포인트» 구두에 박은 징 때문에 젊은 여자에게 불량배로 오해를 사게 된 사건이 극적으로 묘사되어 있다. 극적 긴장감을 주는 요소와 이러한 체험을 통해 글쓴이가 말하고자 하는 주제 의식은 무엇인지 파악하며 읽어 보자.

#1 구두 수선을 주었더니, 뒤축에다가 어지간히도 큰 징을 한 개씩 박아 놓았다. 보기가 흉해서 빼어 버리라고 하였더니, 그런 징이래야 한동안 신게 되고, 무엇이 어쩌구 하며 수다를 피는 소리가 듣기 싫어, 그대로 신기는 신었으나, 점잖지 못하게 저벅저벅, 그 징이 땅바닥에 부딪치는 금속성 소리가 심히 귓맛에 역했다. 더욱이 시멘트 포장도로의 딴딴한 바닥에 부딪쳐 낼 때의 그 음향이란 정말 질색이었다. 또그닥또그닥, 이건 흡사 사람이 아닌 말발굽 소리다.

- 수선: 낡거나 헌 물건을 고침.
- 징: 신발의 밑바닥이나 굽에 박는 쇠못.
- 역했다: 마음에 거슬려 못마땅했다.

#1 핵심 태그
구두를 고치면서 박은 #   이 바닥에 부딪치는 소리가 싫은 '나'

#2 어느 날 초어스름이었다. 좀 바쁜 일이 있어 창경궁 곁 담을 끼고 걸어 내려오노라니까, 앞에서 걸어가던 이십 내외의 어떤 한 젊은 여자가 이 이상하게 또그닥거리는 구두 소리에 안심이 되지 않는 모양으로, 슬쩍 고개를 돌려 또그닥 소리의 주인공을 물색하고 나더니 별안간 걸음이 빨라진다.

그러는 걸 나는 그저 그러는가 보다 하고 내가 걸어야 할 길만 그대로 걷고 있었더니, 얼마큼 가다가 이 여자는 또 뒤를 한 번 힐끗 돌아다본다. 그리고 자기와 나와의 거리가 불과 지척임을 알고는 빨라지는 걸음이 보통이 아니었다. 뛰다 싶은 걸음으로 치맛귀가 웅이하게 내닫는다. ✯나의 그 또그닥거리는 구두 소리는 분명 자기를 위협하느라고 일부러 그렇게 따악딱 땅바닥을 박아 내며 걷는 줄로만 아는 모양이다.

그러나 이 여자더러 내 구두 소리는 그건 저절로 나는 소리요 일부러 내는 소리가 아니니 안심하라고 일러 드릴 수도 없는 일이고, 그렇다고 어서 가야 할 길을 아니 갈 수도 없는 일이고 해서, 나는 그 순간 좀 더 걸음을 빨리하여 이 여자를 뒤로 떨어트림으로 공포로부터 안심을 주려고 한층 더 걸음에 박차를 가했더니, 그럴 게 아니었다. 도리어 이것이 이 여자로 하여금 위협이 되는 것이었다.

- 초어스름: 해가 지고 어슴푸레 땅거미가 지기 시작할 무렵.
- 물색하고: 어떤 기준으로 거기에 알맞은 사람이나 물건, 장소를 고르고.
- 지척: 아주 가까운 거리.
- 치맛귀: 치마의 모서리 부분.
- 박차: 다그쳐 빨리 나아가게 하려고 더하는 힘.

★별별 포인트★

<'구두 소리'로 인한 일화>

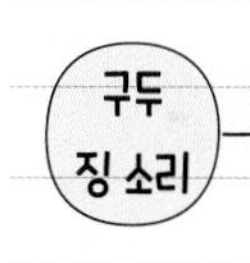

앞에서 걷던 여자가 불량배가 쫓아온다고 오해함.

⇒ '나'는 여자를 앞질러서 오해를 풀려고 했으나, 여자는 더 위협을 느낌.

#2 핵심 태그
거리는 구두 소리 때문에 앞에서 걸어가던 여자에게 오해를 산 '나'

★ 별별 포인트 ★

< 극적 긴장감을 주는 요소 >

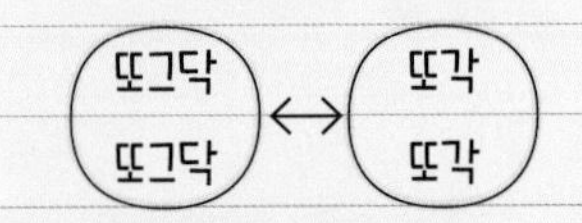

- 소리를 흉내 낸 말을 사용함.
- 인적 드문 도로 위에서 '나'의 구두 소리와 여자의 구두 소리가 대비됨.

#3 내 구두 소리가 또그닥또그닥 좀 더 빨라지자, 이에 호응하여 또각또각, 굽 높은 뒤축이 어쩔 바를 모르고 걸음과 싸우며 유난히도 몸을 일어 내는 그 분주함이란, 있는 마력은 다 내 보는 동작에 틀림없었다. 그리하여 **또그닥또그닥, 또각또각**, 한참 석양 노을이 내려 비치기 시작하는 인적 드문 포장도로 위에서 이 두 음향의 속 모르는 싸움은 자못 그 절정에 달하고 있었다. 나는 이 여자의 뒤를 거의 다 따랐던 것이다. 2, 3보만 더 내어 디디면 앞으로 나서게 될 그럴 계제였다. 그러나 이 여자 역시 힘을 다하는 걸음이었다. 그 2, 3보라는 것도 그리 용이히 따라지지 않았다. 한참 내 발부리에도 풍진이 일었는데, 거기서 이 여자는 뚫어진 옆 골목으로 살짝 빠져 들어선다. 다행한 일이었다. 한숨이 나간다. 이 여자도 한숨이 나갔을 것이다.

인적: 사람의 발자취. 또는 사람이 가고 오고 함.
계제: 어떤 일을 할 수 있게 된 형편이나 기회.
용이히: 어렵지 않고 매우 쉽게.
발부리: 발끝의 뾰족한 부분.
풍진: 바람에 날리는 티끌.

기웃해 보니, 기다랗게 내뚫린 골목으로 이 여자는 휑하니 내닫는다. 이 골목 안이 저의 집인지, 혹은 나를 피하느라고 빠져 들어갔는지 그것은 알 바 없으나, 나로선 이 여자가 나를 불량배로 영원히 알고 있을 것임이 서글픈 일이다.

휑하니: 중도에서 지체하지 않고 곧장 빠르게 가는 모양.

#3 핵심 태그
여자가 자신을 # 로 알 것이 서글픈 '나'

#4 여자는 왜 그리 남자를 믿지 못하는 것일까. 여자를 대하자면 남자는 구두 소리에까지도 세심한 주의를 가져야 점잖다는 대우를 받게 되는 것이라면 이건 이성에 대한 모욕이 아닐까 생각을 하며, 나는 그 다음으로 그 구두 징을 뽑아 버렸거니와 살아가노라면 세세한 데다가 다 신경을 써 가며 살아야 되는 것이 사람임을 알았다.

대우: 어떤 사회적 관계나 태도로 대하는 일.
모욕: 깔보고 욕되게 함.

#4 핵심 태그
세세한 데에도 # 을 써야 하는 것이 사람임을 깨달은 '나'

오엑스 확인 문제

01 이 글에 대한 설명으로 맞으면 ○표, 틀리면 ×표를 하시오.

인물	등장인물은 '나'와 젊은 여자이다.	
사건	'나'는 젊은 여자가 자신을 쫓아온다고 오해한다.	
소재	'구두 징 소리'는 따뜻한 인간 관계를 상징한다.	

별별 포인트

02 이 글에서 알 수 있는 내용으로 적절한 것은?

① 여자는 '나'의 구두 소리에 위협을 느꼈다.
② 여자는 '나'가 자신을 비껴가도록 길을 비켜 주었다.
③ '나'는 여자를 안심시키기 위해 일부러 말을 걸었다.
④ '나'는 구두 수선을 하면서 큰 징을 박아 달라고 하였다.
⑤ '나'는 구두 징의 금속성 소리가 듣기에 좋다고 생각하였다.

별별 포인트

03 이 글에서 극적 긴장감을 주는 요소로 적절하지 않은 것은?

① 해질 무렵 인적이 드문 길이라는 배경
② 여자가 골목으로 들어가자 안도하는 '나'의 모습
③ 불안해서 자꾸 뒤를 돌아다보는 젊은 여자의 행동 묘사
④ 앞서가려는 '나'와 이 때문에 더 힘을 내어 걷는 여자의 모습
⑤ '또그닥또그닥', '또각또각'과 같은 구두 소리를 흉내 낸 말을 사용

04 다음 중 글쓴이처럼 오해를 받은 사례로 가장 적절한 것은?

① 학교에서 신발주머니가 없어져서 한참 찾았는데, 알고 보니 내가 집에다 두고 나온 거였어.
② 알람을 못 들어서 늦게 일어났는데, 이십 분에 한 번 오는 버스도 바로 눈앞에서 놓쳐 버렸어.
③ 눈에 먼지가 들어왔는지 아파서 눈을 못 뜨고 있는데, 수업 시간에 졸고 있다고 선생님께 혼났어.
④ 동생이 내 과자를 다 먹어 버렸다고 화를 냈는데, 사실 과자를 먹은 사람은 동생이 아닌 오빠였어.
⑤ 육 학년이 되어서 반을 배정받았는데, 다른 친구들은 다 같은 반이고 나 혼자만 다른 반이 되었어.

05 #4의 글쓴이의 생각에 대해 독자의 입장에서 할 수 있는 말로 적절하지 않은 것은?

① 때로는 사소해 보일지라도 신경을 써야 하는 일도 있지 않을까요?
② 이 일만 가지고 모든 여자가 남자를 믿지 못한다고 결론을 내릴 수 있을까요?
③ 살다 보면 내 생각이나 의도와는 다르게 일이 진행되는 경우도 있지 않을까요?
④ 구두 소리 때문에 오해를 산다면 차라리 운동화를 신고 다니는 게 낫지 않을까요?
⑤ 사람이 없는 곳에서 누가 자꾸 따라온다면 누구든 '젊은 여자'처럼 행동하지 않을까요?

5문제 중에 ________ 문제 맞혔어!

기억해 보자!

01 소음 공해　02 일용할 양식　03 노새 두 마리
04 낙화　05 구두

어휘로 마무리

01 다음 문장의 빈칸에 들어갈 알맞은 어휘를 찾아 연결하시오.

한줌 Hint
꾸미는 말이 들어가면 문장의 느낌이 어떻게 달라지는지 확인한다.

(1) 섬세한 손길을 흔들며 (　　) 꽃잎이 지는 어느 날. •　　• ㉠ 시적시적

(2) 아버지는 아무 말 없이 (　　) 문밖으로 걸어 나갔다. •　　• ㉡ 바득바득

(3) 노새는 눈을 뒤집어 까다시피 하면서 (　　) 악을 써 댔다. •　　• ㉢ 하롱하롱

02 다음 어휘 사이의 관계가 나머지와 다른 것은?

한줌 Hint
하나만 비슷한 뜻이고, 나머지는 모두 뜻이 반대이다.

① 개업 – 폐업　② 선의 – 악의　③ 슬픔 – 기쁨
④ 결별 – 이별　⑤ 직접적 – 간접적

03 다음 뜻풀이를 참고하여 빈칸에 들어갈 알맞은 어휘를 쓰시오.

한줌 Hint
빈칸에 있는 초성과 뜻풀이를 보고 어울리는 어휘를 찾는다.

(1) 다분히 도전적인 [ㅈ][ㅇ]가 느껴지는 말이었다.
→ 겉으로 드러나지 않은, 속에 품은 생각.

(2) 구두 [ㅅ][ㅅ]을 주었더니, 뒤축에다가 어지간히도 큰 징을 한 개씩 박아 놓았다.
→ 낡거나 헌 물건을 고침.

(3) 고흥댁 말대로 김포 슈퍼의 경호네 앞날은 가히 풍년의 [ㅈ][ㅈ]이 보이기도 하였다.
→ 좋거나 나쁜 일이 생길 기미가 보이는 현상.

04 다음 헷갈리기 쉬운 어휘 중, 외래어 표기법에 맞는 것을 고르시오.

(1) 형제 (슈퍼 / 수퍼)는 쌀과 연탄을 취급하던 가게가 아니었다.

(2) 도깨비가 사나 봐요. (롤라스케잇트 / 롤러스케이트)를 타는 도깨비.

한줌 Hint

외래어를 우리말로 쓸 때에도 법칙이 있다.

05 다음 빈칸에 들어갈 어휘로 가장 적절한 것은?

> 허리 굽혀 인사하면서 은박지 쟁반에 담긴 팥떡을 나누어 주던 경호네한테 누구라 할 것 없이 (   )처럼 던진 말이 있었다.
> "다른 건 몰라도 쌀 안 먹고 연탄 안 때고 살 수는 없으니까 경호네를 잊고 살 수는 없지."

① 덕담　② 악담　③ 험구
④ 부탁　⑤ 칭찬

한줌 Hint

바로 뒤에 나오는 대화가 좋은 내용인지, 나쁘거나 성의 없는 내용인지 따져 본다.

06 밑줄 친 뜻의 어휘를 다음에서 골라 쓰시오.

매상	소음	내막

(1) 피아노와 첼로의 멜로디는 불규칙하게 뒤섞여 불쾌하고 시끄러운 소리에 지나지 않았다. ➡ (   )

(2) 빚도 꽤 많이 얻었다는 겉으로 드러나지 않은 일의 속 내용을 동네 사람들은 알고 있었다. ➡ (   )

(3) 생필품 외에도 채소며 과일을 종류대로 팔고 있는 터라 가게는 그럭저럭 상품을 판 금액이 오르는 눈치였다. ➡ (   )

한줌 Hint

일상생활에서 들어 본 어휘가 있다면 어떤 상황에서 쓰였는지를 떠올려 본다.

별별 사건

어휘로 마무리

관용어

07 다음 밑줄 친 관용어와 바꾸어 쓰기에 가장 적절한 것은?

김 반장은 원미동 거리에 서서 입이 닳도록 말했다. 김 반장의 어머니도, 김 반장의 허리 꼬부라진 할머니도 동네 여자들을 향해

"우리 연탄도 좀 때요. 이번 참엔 우리 것 좀 들여놓아, 꼭!"

하며 우겨 대었다. 팔순을 넘긴 김 반장 할머니는 꼬부라진 허리를 아랑곳 않고 추위를 피해 종종걸음 치는 아낙네들 뒤를 따라가면서까지 같은 말을 되풀이했다.

"우리 것도 사 주랑게……."

㉠ 입이 달도록
㉡ 입이 마르도록
㉢ 입이 벌어지도록

한줌 Hint

입이 닳을 정도면 얼마나 말을 많이 했다는 뜻일지를 생각하며 닳는 것과 비슷한 느낌의 말을 찾아본다.

漢字 한자 성어

08 다음 상황을 보고 빈칸에 한자 성어를 넣어 문장을 완성하려고 한다. 가장 적절한 것은?

➡ 아래층 여자는 위층 여자에게 소음 때문에 항의하려고 인터폰을 한다. 하지만 위층 여자가 신경질적으로 대답하자 아래층 여자는 위층 여자를 뻔뻔스럽다고 여기며 (　　　　)이라고 생각한다.

㉠ 이심전심(以心傳心)
㉡ 동병상련(同病相憐)
㉢ 적반하장(賊反荷杖)

한줌 Hint

아래층 여자의 입장에서 위층 여자를 볼 때 어떤 마음이 들지를 생각해야 한다.

별별 배경

01 수난이대

하근찬

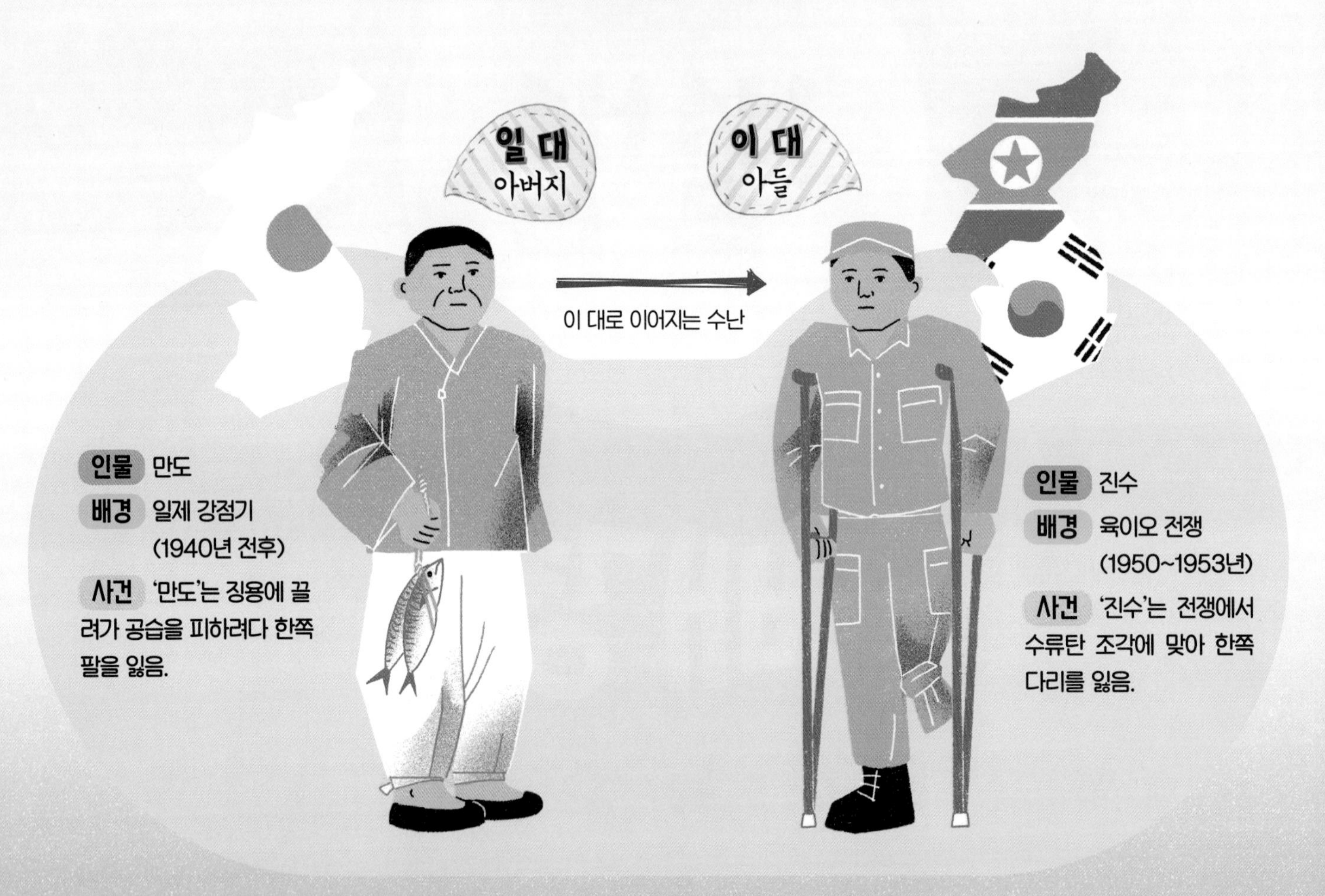

소재 외나무다리

각자 몸이 불편한 아버지와 아들이 힘을 합하여 외나무다리를 건넘으로써 우리 민족이 겪은 수난을 극복하려는 의지를 드러냄.

읽기 포인트 » 만도가 한쪽 팔을 잃은 이유와 그의 아들 진수가 한쪽 다리를 잃은 이유를 살펴보고, 이 대에 걸친 이러한 수난을 부자가 어떻게 극복해 나가고 있는지 파악하며 읽어 보자.

#1 여느 날과 다름없이 굴속에서 바위를 허물어 내고 있었다. 바위 틈서리에 구멍을 뚫어서 다이너마이트 장치를 하는 것이었다. 장치가 다 되면 모두 바깥으로 나가고, 한 사람만 남아서 불을 댕기는 것이다. 그리고 그것이 터지기 전에 얼른 밖으로 뛰어나와야 한다.

틈서리: 틈이 난 부분의 가장자리.
댕기는: 불이 옮아 붙는. 또는 그렇게 하는.

만도가 불을 댕기는 차례였다. 모두 바깥으로 나가 버린 다음 그는 성냥을 꺼냈다. 그런데 웬 영문인지 기분이 꺼림칙했다. 모기에게 물린 자리가 자꾸 쑥쑥 쑤시는 것이었다. 긁적긁적 긁어 댔으나 도무지 시원한 맛이 없었다. 그는 이맛살을 찌푸리면서 성냥을 득! 그었다. 그래 그런지 몰라도 불은 이내 픽 하고 꺼져 버렸다. 성냥 알맹이 네 개째에서 겨우 심지에 불이 댕겨졌다. 심지에 불이 붙는 것을 보자, 그는 얼른 몸을 굴 밖으로 날렸다. 바깥으로 막 나서려는 때였다. 산이 무너지는 듯한 소리와 함께 사나운 바람이 귓전을 후려갈기는 것이었다. 만도는 정신이 아찔했다. 공습이었던 것이다. 산등성이를 넘어 달려든 비행기가 머리 위로 아슬아슬하게 지나가는 것이었다. 미처 정신을 차리기도 전에 또 한 대가 뒤따라 날아다는 것이 아닌가. 만도는 그만 넋을 잃고 굴 안으로 도로 달려 들어갔다. 달려 들어가서 굴 바닥에 아무렇게나 팍 엎드리고 말았다. 그 순간이었다. 쾅! 굴 안이 미어지는 듯하면서 다이너마이트가 터졌다. 만도의 두 눈에서 불이 번쩍했다.

꺼림칙했다: 마음에 걸려서 언짢고 싫은 느낌이 있었다.
심지: 폭탄을 터뜨리기 위하여 불을 붙이게 되어 있는 줄.
공습: 공군이 비행기를 이용하여 총격이나 폭격으로 적을 습격하는 일.

만도가 어렴풋이 눈을 떠 보니, 바로 거기 눈앞에 누구의 것인지 모를 팔뚝이 아무렇게나 던져져 있었다. 손가락이 시퍼렇게 굳어져서 마치 이끼 낀 나무토막처럼 보이는 팔뚝이었다. 만도는 그것이 자기의 어깨에 붙어 있던 것인 줄을 알자 그만 으악! 정신을 잃어버렸다.

재차 눈을 떴을 때는 그는 폭신한 담요 속에 누워 있었고, 한쪽 어깻죽지가 못 견디게 쿡쿡 쑤셔 댔다. 절단 수술은 이미 끝난 뒤였다.

★별별 포인트★

< '만도'의 불행을 암시하는 복선 >

- 성냥을 꺼내며 꺼림칙한 기분을 느낌.
- 모기에게 물린 자리가 자꾸 쑥쑥 쑤심.
- 쑤시는 자리를 긁어도 시원한 느낌이 들지 않음.
- 성냥불이 자꾸 꺼짐.

⇓

만도에게 닥칠 비극적인 사건(한쪽 팔을 잃게 되는 사건)을 암시함.

#1 핵심 태그

공습을 피하려고 들어간 굴에서 다이너마이트가 터져 한쪽 # ______ 을 잃은 만도

#2 꽤액 기차 소리였다. 멀리 산모퉁이를 돌아오는가 보다. 만도는 자리를 털고 벌떡 일어서며 옆에 놓아둔 고등어를 집어 들었다. 기적 소리가 가까워질수록 그의 가슴이 울렁거렸다. 대합실 밖으로 뛰어나가, 폼이 잘 보이는 울타리 쪽으로 가서 발돋움을 했다. 땡땡땡 종이 울자, 잠시 후 차는 소리를 지르면서 달려들었다. 기관차의 옆구리에서는 김이 픽픽 풍겨 나왔다. 만도의 얼굴은 바짝 긴장되었다. 시꺼먼 열차 속에서 꾸역꾸역 사람들이 밀려 나왔다. 꽤 많은 손님이 쏟아져

대합실: 손님이 기다리며 머물 수 있도록 마련한 곳.
폼: 플랫폼. 역에서 기차를 타고 내리는 곳.

내리는 것이었다. 만도의 두 눈은 곧장 이리저리 굴렀다. 그러나 아들의 모습은 쉽사리 눈에 띄지 않았다. 저쪽 출찰구로 밀려가는 사람의 물결 속에 두 개의 지팡이를 짚고 절룩거리며 걸어 나가는 상이군인이 있었으나, 만도는 그 사람에게 관심이 가지는 않았다. 기차에서 내릴 사람은 모두 내렸는가 보다. 이제 미처 차에 오르지 못한 사람들이 폼을 이리저리 서성거리고 있을 뿐인 것이다.

출찰구: 손님이 표를 내고 나가거나 나오는 곳.
상이군인: 전투나 군사상 공적인 업무 중에 몸을 다친 군인.

'그놈이 거짓으로 편지를 띄웠을 리는 없을 건데…….'

만도는 자꾸 가슴이 떨렸다.

'이상한 일이다.' / 하고 있을 때였다. 분명히 뒤에서,

"아부지!" / 부르는 소리가 들렸다. 만도는 깜짝 놀라며, 얼른 뒤를 돌아보았다. 그 순간, 만도의 두 눈이 무섭도록 크게 떠지고, 입은 딱 벌어졌다.

틀림없는 아들이었으나, 옛날과 같은 진수는 아니었다. 양쪽 겨드랑이에 지팡이를 끼고 서 있는데, 스쳐 가는 사람결에 한쪽 바짓가랑이가 펄럭거리는 것이 아닌가.

만도는 눈앞이 노오래지는 것을 어쩌지 못했다. 한참 동안 그저 멍멍하기만 하다가, 코허리가 찡해지면서 두 눈에 뜨거운 것이 핑 도는 것이었다. 〈중략〉

멍멍하기만: 정신이 빠진 것같이 어리벙벙하기만.

#2 핵심 태그

전쟁에서 한쪽 # 를 잃고 돌아온 진수를 보고 충격을 받은 만도

#3 주막을 나선 그들 부자는 논두렁길로 접어들었다. 아까와 같이 만도가 앞장을 서는 것이 아니라, 이번에는 진수를 앞세웠다. 지팡이를 짚고 기우뚱기우뚱 앞서 가는 아들의 뒷모습을 바라보며, 팔뚝이 하나밖에 없는 아버지가 느릿느릿 따라가는 것이다. 손에 매달린 고등어가 달랑달랑 춤을 춘다. 너무 급하게 들이부어서 그런지, 만도의 배 속에서는 우글우글 술이 끓고 다리가 휘청거린다. 콧구멍으로 더운 숨을 훅훅 내뿜어 본다. 정신이 아른하니 좋다.

논두렁길: 논의 가장자리를 흙으로 막은 둑 위로 난 좁은 길.

"진수야!" / "예." / "니 우짜다가 그래 됐노?"

"전쟁하다가 이래 안 됐심니꾜. 수류탄 쪼가리에 맞았심더."

"수류탄 쪼가리에?" / "예." / "음……."

"얼른 낫지 않고 막 썩어 들어가기 땜에 군의관이 짤라 버립디더, 병원에서예."

수류탄: 손으로 던져 터뜨리는 작은 폭탄.
군의관: 군대에서 의사의 임무를 맡고 있는 장교.

"……." / "아부지!" / "와?"

"이래 가지고 나 우째 살까 싶습니더."

"우째 살긴 뭘 우째 살아. 목숨만 붙어 있으면 다 사는 기다. 그런 소리 하지 마라."

"……." / "나 봐라. 팔뚝이 하나 없어도 잘만 안 사나. 남 봄에 좀 덜 좋아서 그렇지 살기사 왜 못 살아."

"차라리 아부지같이 팔이 하나 없는 편이 낫겠어예. 다리가 없어 노니 첫째 걸어댕기기에 불편해서 똑 죽겠심더."

✶ 별별 포인트 ✶

〈 '만도'와 '진수'가 겪은 수난 〉

'만도'의 수난
일제 강점기에 강제로 끌려갔다가 한쪽 팔을 잃음.

+

'진수'의 수난
육이오 전쟁에 나갔다가 한쪽 다리를 잃음.

⇒ 아버지와 아들로 이어지는 이 대에 걸친 수난을 통해, 개인의 아픔은 물론 우리 민족이 겪은 수난을 드러냄.

"야야, 안 그렇다. 걸어 댕기기만 하면 뭐 하노, 손을 지대로 놀려야 일이 뜻대로 되지." / "그럴까예?"

"그렇다니. 그러니까 집에 앉아서 할 일은 니가 하고, 나댕기메 할 일은 내가 하고, 그라면 안 되겠나, 그제?" / "예."

진수는 가벼운 한숨을 내쉬며 아버지를 돌아보았다. 만도는 돌아보는 아들의 얼굴을 향해 지그시 웃어 주었다.

#3 핵심 태그
진수가 한쪽 다리를 잃은 사연을 듣고 진수에게 위로를 건네는 #

#4 개천 둑에 이르렀다. ✫외나무다리가 놓여 있는 그 시냇물이다. 진수는 슬그머니 걱정이 되었다. 물은 그렇게 깊은 것 같지 않지만, 밑바닥이 모래흙이어서 지팡이를 짚고 건너가기가 만만할 것 같지 않기 때문이다. 외나무다리 위로는 도저히 건너갈 재주가 없고……. 진수는 하는 수 없이 둑에 퍼지고 앉아서 바짓가랑이를 걷어 올리기 시작했다. 만도는 잠시 멀뚱히 서서 아들의 하는 양을 내려다보고 있다가, / "진수야, 그만두고, 자아 업자." / 하는 것이었다.

둑: 물이 넘치는 것을 막기 위해 쌓은 언덕.

"업고 건느면 일이 다 되는 거 아니가. 자아, 이거 받아라."

고등어 묶음을 진수 앞으로 민다. / "……."

진수는 퍽 난처해하면서 못 이기는 듯이 그것을 받아 들었다. 만도는 등어리를 아들 앞에 갖다 대고, 하나밖에 없는 팔을 뒤로 버쩍 내밀며, / "자아, 어서!"

난처해하면서: 이럴 수도 없고 저럴 수도 없어 곤란해하면서.

진수는 지팡이와 고등어를 각각 한 손에 쥐고, 아버지의 등어리로 가서 슬그머니 업혔다. 만도는 팔뚝을 뒤로 돌려서 아들의 하나뿐인 다리를 꼭 안았다. 그리고,

"팔로 내 목을 감아야 될 끼다." / 했다. 진수는 무척 황송한 듯 한쪽 눈을 찍 감으면서 고등어와 지팡이를 든 두 팔로 아버지의 굵은 목줄기를 부둥켜안았다. 만도는 아랫배에 힘을 주며, 끙! 하고 일어났다. 아랫도리가 약간 후들거렸으나 걸어갈 만은 했다. 외나무다리 위로 조심조심 발을 내디디며 만도는 속으로,

황송한: 분에 넘쳐 고맙고도 마음이 거북한.

'이제 새파랗게 젊은 놈이 벌써 이게 무슨 꼴이고. 세상을 잘못 만나서 진수 니 신세도 참 똥이다, 똥.' / 이런 소리를 주워섬겼고, 아버지의 등에 업힌 진수는 곧장 미안스러운 얼굴을 하며,

"나꺼정 이렇게 되다니, 아부지도 참 복도 더럽게 없지, 차라리 내가 죽어 버렸더라면 나았을 낀데……." / 하고 중얼거렸다.

만도는 아직 술기가 약간 있었으나, 용케 몸을 가누며, 아들을 업고 외나무다리를 조심조심 건너가는 것이었다.

눈앞에 우뚝 솟은 용머리재가 이 광경을 가만히 내려다보고 있었다.

✶ 별별 포인트 ✶

< '외나무다리'의 상징성 >

외나무다리
두 사람에게 닥친 시련이자 우리 민족이 겪은 고난을 상징함.

'만도'가 '진수'를 업고 외나무다리를 건너는 모습
두 사람이 서로 도우며 살아갈 수 있으리라는 가능성을 보여 줌.

→ 화합과 협력을 통해 수난을 극복하리라는 의지를 드러냄.

#4 핵심 태그
힘을 합하여 #   를 건너는 만도와 진수의 모습을 내려다보는 용머리재

작품 줄거리 요약하기

앞부분 줄거리

만도는 전쟁에 나갔던 아들 진수가 돌아온다는 소식을 듣고 마중을 나간다. 만도는 기차 대합실에 앉아 아들을 기다리며, 징용(일제 강점기에, 일본 제국주의자들이 조선 사람을 강제로 동원하여 부리던 일)에 끌려가 비행장을 만드는 곳에서 고된 노동에 시달렸던 과거를 떠올린다.

제시 장면 줄거리

[과거, 일제 강점기]

그곳에서는 굴속 바위를 터뜨리기 위해 다이너마이트를 설치하고 돌아가며 불을 댕기는데, 마침 만도의 차례일 때 공습을 당한다. 1 [　][　] 을 피하려고 다시 굴 안에 들어간 만도는 다이너마이트가 터지면서 한쪽 팔을 잃고 만다.

만도는 아들을 만난다는 기대감에 가슴이 울렁거리는 한편, 아들에게 무슨 일이 생겼을지도 모른다는 불안감을 느낀다. 육이오 전쟁에 나갔던 아들 진수는 한쪽 다리를 잃은 채 돌아온다.

중략 부분 줄거리

만도는 주막에서 술을 마시며 마음을 가라앉히고, 진수에게 국수를 먹이며 현실을 받아들인다.

제시 장면 줄거리

만도는 진수가 수류탄에 맞아 한쪽 다리를 잃었음을 알게 된다. 그러면서 어떻게 살아야 할지 막막해 하는 진수에게 서로 도우면서 살면 된다고 진수를 위로한다. 개천 둑에 이른 두 사람은 힘을 합하여 2 [　][　][　][　][　] 를 건너고, 그 모습을 용머리재가 지켜본다.

오엑스 확인 문제

01 이 글에 대한 설명으로 맞으면 ○표, 틀리면 ×표를 하시오.

인물	만도와 진수는 부자 관계이다.	
사건	만도는 한쪽 팔을, 진수는 한쪽 다리를 잃었다.	
배경	만도는 기차 정거장에서 진수를 만난다.	
소재	만도와 진수는 외나무다리를 건너는 것을 포기한다.	

변별 포인트

02 #1 에서 '만도'의 불행을 암시하는 일로 적절하지 않은 것은?

① 성냥을 꺼내며 기분이 꺼림칙했다.
② 성냥불이 거듭 픽 하고 꺼져 버렸다.
③ 모기에게 물린 자리가 자꾸 쑥쑥 쑤셨다.
④ 모기에게 물린 자리를 긁어 댔으나 시원한 맛이 없었다.
⑤ 심지에 불이 붙는 것을 보고 얼른 몸을 굴 밖으로 날렸다.

03 다음은 '진수'의 말이다. 이에 대한 '만도'의 대답으로 가장 적절한 것은?

> "이래 가지고 나 우째 살까 싶습니더."

① 그러게 나도 어찌 살아야 할지 모르겠구나.
② 남들 보기에 부끄러우니 둘 다 집에만 있자.
③ 나라에서 지원이 나오지 않겠니. 기다려 보자.
④ 다리 없는 너보다는 팔이 없는 내 신세가 낫구나.
⑤ 너랑 내가 힘을 합하면 충분히 살지. 왜 못 살겠느냐.

04 #2에서 만도의 아들 '진수'를 가리키는 말을 찾아 한 단어로 쓰시오.

____

별별 포인트

05 ㉠과 ㉡에 대한 설명으로 적절하지 않은 것은?

- 만도는 자리를 털고 벌떡 일어서며 옆에 놓아 둔 ㉠고등어를 집어 들었다.
- 개천 둑에 이르렀다. ㉡외나무다리가 놓여 있는 그 시냇물이다.

① ㉠: 만도가 진수를 위해 준비한 것이다.
② ㉠: 아들에 대한 아버지의 애정을 나타낸다.
③ ㉡: 만도와 진수가 겪은 시련을 의미한다.
④ ㉡: 만도와 진수가 갈등할 것임을 암시한다.
⑤ ㉡: 우리 민족이 겪어야 했던 고난을 상징한다.

06 다음은 이 글의 결말 부분이다. 이에 대한 설명으로 적절하지 않은 것은?

만도는 아직 술기가 약간 있었으나, 용케 몸을 가누며, 아들을 업고 외나무다리를 조심조심 건너가는 것이었다. / 눈앞에 우뚝 솟은 용머리재가 이 광경을 가만히 내려다보고 있었다.

① 서술자의 시선이 점점 멀어지고 있다.
② 자연물을 마치 사람처럼 표현하고 있다.
③ 두 사람의 비극적인 결말을 드러내고 있다.
④ 서술의 초점이 인물에서 자연물로 옮겨지고 있다.
⑤ 인물들에게 겪어야 할 고난이 남아 있음을 암시하고 있다.

07 #2에 나타난 '만도'의 심리로 적절하지 않은 것은?

① 돌아올 아들에 대한 기대감
② 아들을 만나기 직전의 긴장감
③ 보이지 않는 아들에 대한 불안함
④ 다리를 잃은 아들에 대한 안쓰러움
⑤ 아들과의 만남을 피하고 싶은 망설임

별별 포인트

08 보기를 바탕으로 이 글을 이해할 때, 그 내용으로 적절하지 않은 것은?

이 작품에는 일제 강점기(태평양 전쟁)와 육이오 전쟁으로 상처를 입은 인물들이 등장한다. 특히 역사적 수난을 이 대에 걸친 삶의 모습으로 그려 내고 있는데, 이는 그들의 수난이 개인적 차원을 넘어 민족적 차원의 비극임을 강조하고자 한 것이다. 그러나 비극에서 그치는 것이 아니라 인물들의 협력을 통해 비극적 삶에 대한 극복 의지를 드러내고 있다는 점에서 희망과 용기를 전달하고 있다고 할 수 있다.

① 진수는 육이오 전쟁에서 한쪽 다리를 잃었군.
② 만도는 태평양 전쟁 때 끌려갔다가 한쪽 팔을 잃었군.
③ 만도와 진수 두 사람의 수난을 통해 개인적 차원의 비극을 강조하고자 했군.
④ '수난이대'라는 작품의 제목은 역사적 수난을 겪은 이 대의 이야기라는 의미이겠군.
⑤ 만도와 진수가 서로 도와 외나무다리를 건너는 것은 협력을 통해 비극을 극복하려는 의지를 드러내는 것이겠군.

8문제 중에 ______ 문제 맞혔어!

02

광장

최인훈

인물 윤애

남한에서 이명준이 사랑한 여인.
이명준이 북한으로 가자 이명준의 친구와 결혼함.

인물 은혜

북한에서 이명준이 사랑한 여인.
북한군 간호 장교로, 이명준의 딸을 임신한 채로 죽음.

인물 이명준(육이오 전쟁 전)

남한에서 철학을 전공하는 대학생.
사회주의자인 아버지가 북한으로 넘어간 일로 국가에 잡혀갔다가 풀려남. 그후 북한으로 넘어가 인민군 장교로 육이오 전쟁에 참여함.

배경 육이오 전쟁 전후의 남한과 북한

이명준은 남한 사회와 북한 사회 어디에도 적응하지 못하고 결국 중립국을 선택함.

인물 이명준(육이오 전쟁 후)

소재 중립국

포로로 잡힌 이명준은 남북한에 모두 실망하여 남한도 북한도 아닌 중립국으로 가겠다고 함.

소재 두 마리 새

사건 바다로 뛰어드는 '이명준'

중립국인 인도로 향하는 배 위에서 이명준은 두 마리의 갈매기를 봄. 그것이 죽은 은혜와 뱃속에 있던 딸이라고 생각한 이명준은 바다에 몸을 던짐.

읽기 포인트» 포로 심사장에서 이명준은 북한으로 오라는 북한 측의 설득과 남한으로 오라는 남한 측의 설득을 모두 거절하고 결국 중립국을 선택하고 있다. 그 이유가 무엇인지 살펴보며 읽어 보자.

#1 방 안 생김새는, 통로보다 조금 높게 설득자들이 앉아 있고, 포로는 왼편에서 들어와서 오른편으로 빠지게 돼 있다. 네 사람의 공산군 장교와, 국민복을 입은 중공 대표가 한 사람, 합쳐서 다섯 명. 그들 앞에 가서, 걸음을 멈춘다. 앞에 앉은 장교가, 부드럽게 웃으면서 말한다. / "동무, 앉으시오."

중공: '중국 공산당' 또는 '중화 인민 공화국'의 줄임말.
동무: 북한에서 함께 싸운 사람을 친근하게 부르는 말.

명준은 움직이지 않았다.

"동무는 어느 쪽으로 가겠소?" / "중립국."

중립국: 국가 사이의 분쟁이나 전쟁에 관여하지 않고 중간 입장을 지키는 국가.

그들은 서로 쳐다본다. 앉으라고 하던 장교가, 윗몸을 테이블 위로 바싹 내밀면서, 말한다.

"동무, ✯중립국도, 마찬가지 자본주의 나라요. 굶주림과 범죄가 우글대는 낯선 곳에 가서 어쩌자는 거요?"

자본주의: 자본가가 이윤을 얻기 위해 생산을 할 수 있는 사회 경제 체제.

"중립국."

"다시 한번 생각하시오. 돌이킬 수 없는 중대한 결정이란 말요. 자랑스러운 권리를 왜 포기하는 거요?" / "중립국."

이번에는, 그 옆에 앉은 장교가 나앉는다.

나앉는다: 안에서 밖으로 또는 앞쪽에서 뒤쪽으로 자리로 옮겨앉는다.

"동무, 지금 인민 공화국에서는, ✯전쟁에 참가한 용사들을 위한 연금 법령을 냈소. 동무는 누구보다도 먼저 일터를 가지게 될 것이며, 인민의 영웅으로 존경받을 것이오. 전체 인민은 동무가 돌아오기를 기다리고 있소. 고향의 초목도 동무의 개선을 반길 거요." / "중립국."

인민 공화국: 사회주의 국가에서 자기들 나라를 가리키는 말.
연금: 국가나 사회에 공로가 있는 사람에게 해마다 주는 돈.
개선: 싸움에서 이기고 돌아옴.

그들은 머리를 모으고 소곤소곤 상의를 한다.

처음에 말하던 장교가, 다시 입을 연다.

"동무의 심정도 잘 알겠소. 오랜 포로 생활에서, 저들의 간사한 꾀임수에 유혹을 받지 않을 수 없었다는 것도 용서할 수 있소. 그런 염려는 하지 마시오. 공화국은 동무의 하찮은 잘못을 탓하기보다도, 동무가 조국과 인민에게 바친 충성을 더 높이 평가하오. ✯일체의 보복 행위는 없을 것을 약속하오. 동무는……."

보복: 남이 자신에게 해를 준 대로 자신도 그에게 해를 줌.

"중립국."

중공 대표가, 날카롭게 무어라 외쳤다. 설득하던 장교는, 증오에 찬 눈초리로 명준을 노려보면서, 내뱉었다. / "좋아."

눈길을, 방금 도어를 열고 들어서는 다음 포로에게 옮겨 버렸다.

✶별별 포인트✶

< 북한 측의 설득과 '이명준'의 선택 >

북한 측의 설득 내용
• 자본주의 나라인 중립국에는 굶주림과 범죄가 우글댐.
• 연금을 받고, 먼저 일터를 가지게 되며 영웅으로 존경받을 것임.
• 포로 생활을 하며 남한 측의 유혹을 받았어도 용서하며, 일체의 보복을 하지 않을 것임.

⇓

'이명준'의 선택
중립국

#1 핵심 태그

북한으로 오라는 북한 측의 설득에도 # ______ 을 선택한 이명준

#2 아까부터 그는 설득자들에게 간단한 한마디만을 되풀이 대꾸하면서, 지금 다른 천막에서 동시에 진행되고 있을 광경을 그려 보고 있었다. 그리고 그 자리에도 자기를 세워 보고 있었다.

"자넨 어디 출신인가?" / "……."

"음, 서울이군."

설득자는, 앞에 놓인 서류를 뒤적이면서,

"중립국이라지만 막연한 얘기요. 제 나라보다 나은 데가 어디 있겠어요. 외국에 가 본 사람들이 한결같이 하는 얘기지만, 밖에 나가 봐야 조국이 소중하다는 걸 안다구 하잖아요? 당신이 지금 가슴에 품은 울분은 나도 압니다. 대한민국이 과도기적인 여러 가지 모순을 가지고 있는 걸 누가 부인합니까? 그러나 대한민국엔 자유가 있습니다. 인간은 무엇보다도 자유가 소중한 것입니다. 당신은 북한 생활과 포로 생활을 통해서 이중으로 그걸 느꼈을 겁니다. 인간은……."

막연한: 뚜렷하지 못하고 어렴풋한.
울분: 답답하고 분한 마음.
과도기: 질서, 제도, 사상이 바뀌어 가는 도중으로 불안한 시기.

"중립국."

"허허허, 강요하는 것이 아닙니다. 다만 내 나라 내 민족의 한 사람이, 타향 만리 이국땅에 가겠다고 나서니, 동족으로서 어찌 한마디 참고되는 이야길 안 할 수 있겠습니까? 우리는 이곳에 남한 2천만 동포의 부탁을 받고 온 것입니다. 한 사람이라도 더 건져서, 조국의 품으로 데려오라는……."

동포: 같은 나라, 민족의 사람을 다정하게 부르는 말.

"중립국."

"당신은 고등 교육까지 받은 지식인입니다. 조국은 지금 당신을 요구하고 있습니다. 당신은 위기에 처한 조국을 버리고 떠나 버리렵니까?" / "중립국."

"지식인일수록 불만이 많은 법입니다. 그러나, 그렇다고 제 몸을 없애 버리겠습니까? 종기가 났다고 말이지요. 당신 한 사람을 잃는 건, 무식한 사람 열을 잃는 것보다 더 큰 민족의 손실입니다. 당신은 아직 젊습니다. 우리 사회에는 할 일이 태산 같습니다. 나는 당신보다 나이를 약간 더 먹었다는 의미에서, 친구로서 충고하고 싶습니다. 조국의 품으로 돌아와서, 조국을 재건하는 일꾼이 돼 주십시오. 낯선 땅에 가서 고생하느니, 그쪽이 당신 개인으로서도 행복이라는 걸 믿어 의심치 않습니다. 나는 당신을 처음 보았을 때, 대단히 인상이 마음에 들었습니다. 뭐 어떻게 생각지 마십시오. 나는 동생처럼 여겨졌다는 말입니다. 만일 남한에 오는 경우에, 개인적인 조력을 제공할 용의가 있습니다. 어떻습니까?"

종기: 피부에 균이 들어가서 생기는 염증.
재건하는: 허물어진 것을 다시 일으켜 세우는.
조력: 힘을 써 도와줌. 또는 그 힘.
용의: 어떤 일을 하겠다는 마음.

명준은 고개를 쳐들고, 반듯하게 된 천막 천장을 올려다본다. 한층 가락을 낮춘 목소리로 혼잣말 외듯 나직이 말할 것이다.

★ 별별 포인트 ★

< 남한 측의 설득과 '이명준'의 선택 >

남한 측의 설득 내용
• 대한민국에는 자유가 있음.
• 위기에 처한 조국은 지식인을 요구하고 있고, 지식인이 해야 할 일이 많음.
• 동생처럼 여겨져 개인적인 조력을 제공할 것을 약속함.

↓

'이명준'의 선택
중립국

"중립국."

설득자는, 손에 들었던 연필 꼭지로, 테이블을 톡 치면서, 곁에 앉은 미군을 돌아볼 것이다. 미군은, 어깨를 추스르며, 눈을 찡긋하고 웃겠지.

나오는 문 앞에서, 서기의 책상 위에 놓은 명부에 이름을 적고 천막을 나서자, 그는 마치 재채기를 참았던 사람처럼 몸을 벌떡 뒤로 젖히면서, 마음껏 웃음을 터뜨렸다. 눈물이 찔끔찔끔 번지고, 침이 걸려서 캑캑거리면서도 그의 웃음은 멎지 않았다.

명부: 어떤 일에 관련된 사람의 이름, 주소, 직업을 적은 장부.

#2 핵심 태그
남한으로 오라는 #
측의 설득에도 중립국을 선택하는 상상을 하며 웃는 이명준

#3 준다고 바다를 마실 수는 없는 일. 사람이 마시기는 한 사발의 물. 준다는 것도 허황하고 가지거니 함도 철없는 일. 바다와 한 잔의 물. 그 사이에 놓인 골짜기와 눈물과 땀과 피. 그것을 셈할 줄 모르는 데 잘못이 있었다. 세상에서 뒤진 가난한 땅에 자란 지식 노동자의 슬픈 환상. 과학을 믿은 게 아니라 마술을 믿었던 게지. 바다를 한 잔의 영생수로 바꿔 준다는 마술사의 말을. 그들은 뻔히 알면서 권력이라는 약을 팔려고 말로 속인 꼬임을. 어리석게 신비한 술잔을 찾아 나섰다가, 낌새를 차리고 항구를 돌아보자, 그들은 항구를 차지하고 움직이지 않고 있었다. 참을 알고 돌아온 바다의 난파자들을 그들은 감옥에 가둘 것이다. 못된 균을 옮기지 않기 위해서. 역사는 소걸음으로 움직인다. 사람의 커다란 모순과 업보에 비기면, 아무 자국도 못 낸 것이나 마찬가지다. 당대까지 사람이 만들어 낸 물질 생산의 수확을 고르게 나누는 것만이 모든 시대에 두루 맞는 가능한 일이다. 마찬가지 아닌가. 벌써 아득한 옛날부터 사람 동네가 알아낸 슬기. 사람이라는 조건에서 비롯하는 슬픔과 기쁨을 고루 나누는 것. 그래 봐야, 사람의 조건이 아직도 풀어 나가야 할 어려움의 크기에 대면, 아무것도 아니다. 사람이 이루어 놓은 것에 눈을 돌리지 않고, 이루어야 할 것에만 눈을 돌리면, 그 자리에서 그는 삶의 힘을 잃는다. 사람이 풀어야 할 일을 한눈에 보여 주는 것 — 그것이 '죽음'이다. 은혜의 죽음을 당했을 때, 이명준 배에서는 마지막 돛대가 부러진 셈이다. 이제 이루어 놓은 것에 눈을 돌리면서 살 수 있는 힘이 남아 있지 않다. 팔자소관으로 빨리 늙는 사람도 있는 법이었다. 사람마다 다르게 마련된 몸의 길, 마음의 길, 무리의 길. 대일 언덕 없는 난파꾼은 항구를 잊어버리기로 하고 물결 따라 나선다. 환상의 술에 취해 보지 못한 섬에 닿기를 바라며. 그리고 그 섬에서 환상 없는 삶을 살기 위해서. 무서운 것을 너무 빨리 본 탓으로 지쳐 빠진 몸이, 자연의 수명을 다하기를 기다리면서 쉬기 위해서. 그렇게 해서 결정한, 중립국 행이었다.

사발: 사기로 만든 국그릇이나 밥그릇.
허황하고: 헛되고 황당하며 미덥지 못하고.
영생수: 영원한 생명을 주는 물.
낌새: 어떤 일을 알아차릴 수 있는 눈치.
소걸음: 소처럼 느릿느릿 걷는 걸음.
업보: 미래에 선과 악의 결과를 가져오는 원인이 된다고 하는 일.
팔자소관: 타고난 운수로 인하여 어쩔 수 없이 당하는 일.

★ 별별 포인트 ★

< '바다'와 '한 사발의 물'의 의미 >

바다
• 푸르고 넓은 이상적인 대상이지만, 마실 수 없는 것
• 남한과 북한이 지향하는 이념의 허상, 허황한 이상향

↕

한 사발의 물
• 바다에 비해 작지만, 삶에 꼭 필요하고 가치 있는 것
• 개인이 경험하는 실제 현실

→ '바다'와 '한 사발의 물'의 대비를 통해 이상과 현실의 괴리를 표현함.

#3 핵심 태그
이념의 환상에 지친 이명준이 수명이 다하길 기다리며 쉬기 위해 선택한 #

앞부분 줄거리

대학에서 철학을 전공하는 평범한 대학생이었던 이명준은 사회주의자인 아버지가 북한으로 간 일 때문에 경찰에 끌려가 고난을 겪은 뒤 풀려난다. 이 일로 남한 사회에 실망한 이명준은 애인인 윤애를 남긴 채 자신도 북한으로 간다.

북한에서 '노동 신문'의 기자로 일하게 된 이명준은 개인의 개성과 자유를 허용하지 않는 획일적인 북한 사회의 현실에도 실망하여 방황한다.

육이오 전쟁이 일어나고 이명준도 인민군 장교로 전쟁에 참가한다. 전쟁터에서 이명준은, 유학을 떠났다가 간호 장교로 돌아온 옛 애인 은혜를 다시 만난다. 그러나 은혜는 이명준의 아이를 임신한 상태로 전쟁터에서 죽는다.

제시 장면 줄거리

포로로 잡힌 이명준은 포로를 자기 나라로 돌려보내기 위한 심사를 받는다. 북한으로 돌아오라는 북한 측의 설득에도 이명준은 "1 ______."이라는 말만 반복한다. 남한 측에서 물어도 똑같은 대답을 하리라는 상상을 하며 이명준은 웃는다. 이명준은 이념은 환상이며 그러한 이념이 없는 2 ______에서 쉬기 위해서 중립국 행을 선택한 것이다.

뒷부분 줄거리

이명준은 중립국인 인도로 가는 타고르 호에서 자신의 삶을 부채에 비유하며 되돌아본다. 남한에서 대학을 다니던 시절, 북한에 가서 살던 시절, 전쟁에 참가했다 포로가 되어 중립국을 선택한 지금까지. 이명준은 갑판 위의 두 마리 새를 보고 죽은 은혜와 그 뱃속에 있던 딸을 떠올리며 바다에 몸을 던질 것을 결심한다. 그날 밤, 선장은 이명준이 실종되었다는 보고를 듣는다.

오엑스 확인 문제

01 이 글에 대한 설명으로 맞으면 ○표, 틀리면 ×표를 하시오.

- **인물** 이명준은 전쟁 포로이다. ( )
- **사건** 남한 측 설득자는 이명준을 설득하는 데 성공한다. ( )
- **배경** 이명준은 북한 측의 천막과 남한 측의 천막을 오가고 있다. ( )
- **소재** 이명준은 앞으로 지낼 곳으로 남한도 북한도 아닌 '중립국'을 선택한다. ( )

02 이 글을 통해 알 수 있는 내용이 아닌 것은?

① 이명준은 현재 삶의 의욕을 잃은 상태이다.
② 이명준은 남한과 북한 어느 쪽으로도 갈 수 있다.
③ 이명준은 남한과 북한의 미래에 대해 고민하고 있다.
④ 이명준은 중립국을 선택한 것에 통쾌함을 느끼고 있다.
⑤ 이명준에게 애인이었던 은혜는 배의 돛대같이 중요한 존재였다.

별별 포인트

03 #1에 나타난 북한 측의 설득 방법으로 적절하지 않은 것은?

① 조국애를 강조하였다.
② 보복 행위는 없을 것이라고 약속하였다.
③ 인민의 영웅 대접을 받을 것이라고 하였다.
④ 가장 먼저 일터를 제공받을 것이라고 하였다.
⑤ 자본주의 국가의 부정적인 측면을 제시하였다.

별별 포인트

04 **#2**에 나타난 남한 측 설득자의 설득 내용으로 적절하지 않은 것은?

① 남한으로 온다면 개인적으로 도움을 줄 생각이 있다.
② 서울 출신 포로에게는 국가에서 연금이 지급될 예정이다.
③ 중립국에 가서 사는 것은 조국 남한에서 사는 것보다 힘들 것이다.
④ 대한민국에는 자유가 있으며 인간에게는 무엇보다 자유가 소중하다.
⑤ 현재 남한 사회에는 고등 교육을 받은 지식인이 민족을 위해 해야 할 일이 많다.

05 이 글에 나타난 '이명준'의 태도로 가장 적절한 것은?

① 상대방과 대립하며 심리적 갈등을 겪고 있다.
② 상대방의 의견을 인정하고 이를 보충하고 있다.
③ 상대방과의 입장을 절충하여 타협점을 찾고 있다.
④ 상대방의 집요한 설득을 단호하게 거부하고 있다.
⑤ 상대방의 부당한 요구를 소극적으로 받아들이고 있다.

06 '이명준'이 '중립국'을 고집한 이유로 가장 적절한 것은?

① 은혜와 아이가 있는 곳이어서
② 지식인을 인정하고 필요로 해서
③ 경제적인 풍요로움을 누릴 수 있어서
④ 굶주림과 범죄가 없는 안전한 곳이어서
⑤ 이념에 관계없이 인간다운 삶을 살고 싶어서

07 이 글에 나타난 시대적 상황을 **보기**에서 골라 바르게 묶은 것은?

보기

ㄱ. 남한과 북한은 같은 이념을 주장하고 있었다.
ㄴ. 남한과 북한 모두 질서와 제도, 사상이 인정되었다.
ㄷ. 육이오 전쟁이 끝나고 포로를 자기 나라로 돌려보내고 있었다.
ㄹ. 육이오 전쟁에서 북한과 중공이 한 편이고, 남한과 미국이 한 편이었다.

① ㄱ, ㄴ ② ㄱ, ㄷ ③ ㄱ, ㄹ
④ ㄴ, ㄷ ⑤ ㄷ, ㄹ

별별 포인트

08 **보기**는 **#3**에 대한 선생님의 수업 노트이다. 이에 대한 이해로 적절하지 않은 것은?

보기

이명준은 남한에도 살아 보고 북한에도 살아 보면서 어느 쪽도 자기가 바라던 사회의 모습이 아니란 걸 알게 돼요. 양쪽 다 권력자들이 자신들의 권력을 유지하기 위해 이념이라는 마술을 부린다고 생각하죠. 바다를 한 잔의 영생수로 바꿔 준다는 그들의 말이 속임수라는 사실을 깨달은 것이죠. 그래서 이명준은 권력자들이 있는 항구가 아닌 섬으로 가려 합니다.

① '난파자'는 이명준 자신을 뜻하겠군.
② '섬'은 이념의 대립이 없는 곳이겠군.
③ '항구'는 중립국을 가리키는 것이겠군.
④ '마술사'는 남북한의 권력자들을 의미하겠군.
⑤ '바다'는 남북에서 주장하는 이념을 말하겠군.

8문제 중에
_______문제 맞혔어!

03

꺼삐딴 리

전광용

배경 1940년대, 일제 강점기

소재 회중 시계, '國語常用의 家'

이인국은 집에서도 일본어만 사용할 정도의 친일파로, 일제에게 받은 '국어(일본어) 사용의 가'라는 액자와 '회중 시계'를 소중히 여김.

일본어

아리가또.
(고맙습니다.)

러시아어

스바씨보.
(고맙습니다.)

배경 1950년대, 남한

사건 미국의 '브라운 씨'에게 고려청자를 선물하는 '이인국'

이인국은 남한에 병원을 차린 후 권력층과 재벌만 환자로 받아 큰 병원의 원장이 됨. 브라운 씨의 도움을 받아 미국에 다녀오면 더 잘살리라는 희망에 들뜸.

영어

땡큐.
(고맙습니다.)

배경 1945년, 광복 직후 북한

사건 소련의 '스텐코프'의 혹을 떼는 수술을 하는 '이인국'

이인국은 광복 직후 친일을 한 죄로 감옥에 갇혔으나, 소련의 장교인 스텐코프의 혹을 수술로 없애 주고 감옥에서 풀려남.

인물 이인국 박사

외과 의사. 기회주의적 인물로, 의사로서의 사명보다는 자신의 이익과 생존만을 위해 살아감.

읽기 포인트» 이인국이 소련의 스텐코프와 미국의 브라운 씨에게 아부하는 장면이다. 이처럼 시대의 흐름에 따라 권력에 아첨하며 살아온 이인국이라는 인물의 삶의 태도를 파악하며 읽어 보자.

#1 완치되어 퇴원하는 날 스텐코프는 이인국 박사의 손을 부서져라 쥐면서 외쳤다. / "꺼삐딴 리, 스바씨보."

이인국 박사는 입을 헤벌리고 웃기만 했다. 마음의 감옥에서 해방된 것만 같았다.

"아진, 아진……오첸 하라쇼." / 스텐코프는 엄지손가락을 높이 들면서 네가 첫째라는 듯이 이인국 박사의 어깨를 치며 칭찬했다.

'하나'라는 뜻의 러시아어. '참으로 좋다.'라는 뜻의 러시아어.

다음 날 스텐코프는 이인국 박사를 자기 방으로 불렀다. / 그가 이인국 박사에게 스스로 손을 내밀어 예절적인 악수를 청한 것은 이것이 처음이었다.

'적과 적이 맞부딪치면서 이렇게 백팔십도로 전환될 수가 있을까. 노랑대가리도 역시 본심에서는 하나의 인간임에는 틀림없는 것이 아닌가.'

"내일부터는 집에서 통근해도 좋소."

집에서 직장으로 근무하러 다녀도.

이인국 박사는 막혔던 둑이 터지는 것 같은 큰 숨을 삼켜 가면서 내쉬었다.

이번에는 이인국 박사가 스텐코프의 손을 잡았다. / "스바씨보, 스바씨보."

"혹 나한테 무슨 부탁이 없소?" / 이인국 박사는 문득 시계가 머리에 떠올랐다.

그러면서도 곧이어 이 마당에 그런 이야기를 꺼낸다는 것은 오히려 꾀죄죄하게 보이지 않을까 하는 생각이 뒤따랐다. 그러나 아무래도 그 미련이 가셔지지 않았다.

이인국 박사는 비록 찾지 못하는 경우가 있더라도 솔직히 심중을 털어놓으리라고 마음먹었다. / 그는 통역의 보조를 받아 가며 시간과 장소를 정확히 회상하면서 시계를 억지로 빼앗긴 경위를 상세히 설명했다.

스텐코프는 혹이 붙었던 뺨을 쓰다듬으면서 긴장된 모습으로 듣고 있었다.

"염려 없소, 독또오루 리. 위대한 붉은 군대가 그럴 리가 없소. 만약 있었다 하더라도 그것은 무슨 착각이었을 것이오. 내가 책임지고 찾도록 하겠소."

영어 '닥터(doctor. 의사)'를 러시아식으로 발음한 것.

스텐코프의 얼굴에 결의를 띤 심각한 표정이 스쳐 가는 것을 이인국 박사는 똑바로 쳐다보았다.

뜻을 정하여 굳게 마음을 먹음. 또는 그런 마음.

'공연한 말을 끄집어내어 일껏 잘되어 가는 일에 부스럼을 만드는 것은 아닐까.'

모처럼 애써서.

그는 솟구치는 불안과 후회를 짓눌렀다. / "안심하시오, 독또오루 리, 하하하."

스텐코프는 큰 웃음으로 넌지시 말끝을 막았다. / 이인국 박사는 죽음의 직전에서 풀려나 집으로 향했다. / 어느 사이 저렇게 노어로 의사 표시를 할 수 있게 되었느냐고 스텐코프가 감탄하더라는 통역의 말을 되뇌이면서…….

러시아어.

★별별 포인트★

< 제목의 의미 >

'꺼삐딴 리'

- 이인국 박사를 가리키는 말.
- '꺼삐딴'은 영어 '캡틴(captain. 우두머리)'의 러시아식 발음임.

⇒ 사회 지도층임에도 최고의 처세술로 기회주의적인 삶을 살아가는 이인국을 비판하는 표현임.

#1 핵심 태그

스텐코프의 # 을 떼는 수술에 성공하여 감옥에서 풀려난 과거를 떠올리는 이인국

#2 응접실에 안내된 이인국 박사는 주인이 나오기를 기다리면서 방 안을 둘러보았다. 대사관으로는 여러 번 찾아갔지만 집으로 찾아온 것은 이번이 처음이다.

삼 년 전 딸이 미국으로 갈 때부터 신세진 사람이다.

벽 쪽 책꽂이에는『이조실록』,『대동야승』등 한문으로 쓰인 책이 빼곡히 차 있고 한쪽에는 오래 전에 나온 고서들이 가지런히 쌓여 있다.

맞은편 책장 위에는 작은 금동 불상 곁에 몇 개의 골동품이 진열되어 있다. 십이 폭 병풍 앞 탁자 위에 놓인 재떨이도 세월의 때 묻은 백자기다.

(골동품: 오래되었거나 희귀한 옛 물품.)
(폭: 그림, 족자 등을 세는 단위.)

저것들도 다 누군가가 가져다준 것이 아닐까 하는 데 생각이 미치자 이인국 박사는 얼굴이 화끈해졌다. / 그는 자기가 들고 온 상감 진사 고려청자 화병에 눈길을 돌렸다. 사실 그것을 내놓는 데는 얼마간의 아쉬움이 없지 않았다. 국외로 내어 보낸다는 자책감 같은 것은 아예 생각해 본 일이 없는 그였다.

(상감 진사 고려청자: 고려 시대에 표면에 붉은 무늬를 새겨 만든 푸른 빛깔의 자기.)
(자책감: 자신의 잘못을 뉘우치는 마음.)

차라리 이인국 박사에게는, 저렇게 많으니 무엇이 그리 소중하고 달갑게 여겨지겠느냐는 망설임이 더 앞섰다.

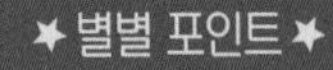
★별별 포인트★

< '이인국'의 처세술 >

- 스텐코프
  - 혹을 수술로 없애 줌.
  - 노어를 공부함.
- 브라운 씨
  - 문화재인 고려청자를 선물함.
  - 영어 발음을 교정함.

⇒ 이인국에게 언어는 상대방의 환심을 사고 출세를 하기 위한 가장 중요한 수단임.

☆브라운 씨가 나오자 이인국 박사는 웃으며 선물을 내어놓았다. 포장을 풀고 난 브라운 씨는 만면에 미소를 띠며 기쁨을 참지 못하는 듯 "땡큐."를 거듭 부르짖었다.

"참 이거 귀중한 것입니다." / "뭐 대단한 것이 아닙니다만 그저 제 성의입니다."

이인국 박사는 안도감에 잇닿은 만족을 느끼면서 브라운 씨의 기쁨에 맞장구를 쳤다. / 브라운 씨가 영어 반 한국말 반으로 섞어 하는 이야기를 들으면서 이인국 박사는 흐뭇한 기분에 젖었다. / "닥터 리는 영어를 어디서 배웠습니까?"

"일제 시대에 일본말식으로 배웠지요. 예를 들면 '잣도 이즈 아 캇도' 식으루."

"그런데 지금 발음은 좋은데요. 문법이 아주 정확한 스탠더드 잉글리시입니다."

(스탠더드 잉글리시: 표준이나 기본이 되는 영어라는 뜻.)

그는 이 말을 들을 때 문득 스텐코프의 말이 연상됐다. 그러고 보면 영국에 조상을 가진다는 브라운 씨는 아르(R) 발음을 그렇게 나타내지 않는 것 같게 여겨졌다.

"얼마 전부터 개인 교수를 받고 있습니다." / "아, 그렇습니까."

(교수: 학문이나 기술을 가르침.)

☆이인국 박사는 자기의 어학적 재질에 은근히 자긍을 느꼈다.

(자긍: 스스로 자신의 능력을 믿음으로써 가지는 당당함.)

브라운 씨가 부엌 쪽으로 갔다 오더니 양주 몇 병이 놓인 쟁반이 따라 나왔다.

"아무 거라도 마음에 드는 것으로 하십시오."

이인국 박사는 보드카 한 잔을 신통한 안주도 없이 억지로라도 단숨에 들이켜야 속 시원해하던 스텐코프를 브라운 씨 얼굴에 겹쳐 보고 있다.

그는 혈압 때문에 술을 조절해야 하는 자기 체질에 알맞게 스카치 한 잔을 핥듯이 조금씩 목을 축이면서 브라운 씨의 이야기를 들었다.

"그거, 국무실에서 통지 왔습니다." / 이인국 박사는 뛸 듯이 기뻤으나 솟구치는 흥분을 억제하면서 천천히 손을 내밀어 악수를 청했다. / "땡큐, 땡큐."

어쩌면 이것은 수술 후의 스텐코프가 자기에게 하던 방식 그대로인지도 모른다는 생각이 들었다. / 이인국 박사는 지성이면 감천이라구, 나의 처세법은 유에스에이에도 통하는구나 하는 기고만장한 기분이었다. / 청자병을 몇 번이고 쓰다듬으면서 술잔을 거듭하는 브라운 씨도 몹시 즐거운 기분이었다.

정성이 지극하면 하늘도 감동한다. 사람들과 어울려 세상을 살아가는 방법. 일이 뜻대로 잘 될 때, 우쭐하여 뽐내는 기세가 대단한.

"미국에 가서의 모든 일도 잘 부탁합니다."

"네, 염려 마십시오. 떠나실 때 소개장을 써 드리지요." / "감사합니다."

"역사는 짧지만, 미국은 지상의 낙토입니다. 양국의 우호와 친선에 도움이 되기를 바랍니다……." / "땡큐……."

늘 즐겁고 행복하게 살 수 있는 좋은 땅.

#2 핵심 태그

에게 고려청자 화병을 선물하며 미국에서의 일을 부탁하는 이인국

#3 다음 날 휴전선 지대로 같이 수렵하러 가기로 약속하고 이인국 박사는 브라운 씨 대문을 나섰다. / 이번 새로 장만한 영국제 쌍발 엽총의 총신을 머리에 그리면서 그의 몸은 날기라도 할 듯이 두둥실 가벼웠다. 이인국 박사는 아까 수술한 환자의 경과가 궁금했으나 그것은 곧 씻겨 갔다. / 그의 마음속에는 새로운 포부와 희망이 부풀어 올랐다. / 신체검사는 이미 끝난 것이고 외무부 출국 수속도 국무성 통지만 오면 즉일 될 수 있게 담당 책임자에게 교섭이 되어 있지 않은가? 빠르면 일주일 내에 떠나게 될지도 모른다는 브라운 씨의 말이 떠올랐다.

총이나 활 등으로 산이나 들의 짐승을 잡으러. 총의 몸통 전체. 일이 있는 바로 그날. 어떤 일을 이루기 위해 서로 의논하고 조절함.

대학을 갓 나와 임상 경험도 신통치 않은 것들이 미국에만 갔다 오면 별이라도 딴 듯이 날치는 꼴이 눈꼴사나왔다. / '어디 나두 댕겨오구 나면 보자!'

병상에 있는 환자를 진료하는 일.

문득 딸 나미와 아들 원식의 얼굴이 한꺼번에 망막으로 휘몰아 왔다. 그는 두 주먹을 불끈 쥐며 얼굴에 경련을 일으키듯 긴장을 띠다가 어색한 미소를 흘려보냈다.

'흥, ✡그 사마귀 같은 일본 놈들 틈에서도 살았고, 닥싸귀 같은 로스케 속에서 살아났는데, 양키라고 다를까……. 혁명이 일겠으면 일구, 나라가 바뀌겠으면 바뀌구, 아직 이 이인국의 살 구멍은 막히지 않았다. 나보다 얼마든지 날뛰던 놈들도 있는데, 나쯤이야…….' / 그는 허공을 향하여 마음껏 소리치고 싶었다.

가시가 많아 옷에 잘 달라붙는 풀인 '도꼬마리'의 방언. 러시아 사람을 낮잡아 이르는 말. 미국 사람을 낮잡아 이르는 말.

★별별 포인트★

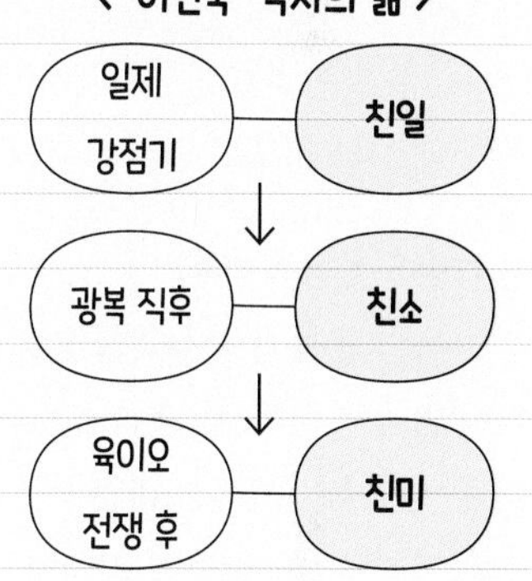

⇒ 이인국은 혼란스러운 역사의 흐름 속에서 사회가 바뀔 때마다 그때그때 권력을 가진 세력에 붙어 풍족한 삶을 사는 인물임.

'그러면 우선 비행기 회사에 들러 형편이나 알아볼까…….'

이인국 박사는 캘리포니아 특산 시가를 비스듬히 문 채 지나가는 택시를 불러 세웠다. / 그는 스프링이 튈 듯이 좌석에 털썩 주저앉았다.

담뱃잎을 돌돌 말아서 만든 담배.

"반도 호텔로……." / 차창을 거쳐 보이는 맑은 가을 하늘이 이인국 박사에게는 더욱 푸르고 드높게만 느껴졌다.

#3 핵심 태그

에 다녀오면 두고 보자며 미래에 대한 희망에 부풀어 있는 이인국

작품 줄거리 요약하기

앞부분 줄거리

[1950년대, 현재]

이인국은 남한에 있는 큰 종합병원의 원장이다. 육이오 전쟁 후 손가방 하나와 회중시계 하나만 들고 남한에 온 그가 이렇게 큰 병원을 차릴 수 있었던 이유는, 그가 권력층이나 재벌만 고객으로 받기 때문이다. 그는 미국 대사관에 가는 길에 시계를 보며 과거를 떠올린다.

[1940년대, 일제 강점기]

이인국은 일본의 제국 대학을 우수한 성적으로 졸업하여 회중시계를 받는다. 집에서도 일본어만 쓰고, 일본 관리들과 친하게 지내며, 아이들도 일본 학교에 보낼 정도로 일본에 충성한다.

[1945년, 광복 이후]

독립 운동가 춘석이를 입원시키지 않고 쫓아냈던 이인국은 광복 후 춘석이에게 잡혀 가 고문을 당하고 감옥에 갇힌다. 이인국은 감옥에서 러시아어를 공부하던 중, 감옥에 전염병이 돌자 환자들을 치료할 기회를 얻는다. 이인국은 소련의 높은 장교인 스텐코프에게 뺨에 있는 혹을 없애주겠다고 제안한다.

제시 장면 줄거리

이인국은 스텐코프의 혹을 제거하는 수술에 성공하여 감옥에서 풀려난다. 또한, 스텐코프는 이인국이 이전에 소련 병사에게 빼앗겼던 **1** [ ][ ] 를 되찾아주겠다고 한다.

[1950년대, 현재]

이인국은 미국 대사관의 브라운 씨에게 잘 보이기 위해 문화재인 고려청자를 선물로 준다. 미국행이 확정된 이인국은 **2** [ ][ ] 에 갈 희망에 부푼다.

오엑스 확인 문제

01 이 글에 대한 설명으로 맞으면 ○표, 틀리면 ×표를 하시오.

인물	이인국은 의사이다.	( )
사건	이인국은 죽을 뻔한 적이 있다.	( )
배경	이인국은 현재 북한에서 병원을 운영하고 있다.	( )
소재	이인국은 스텐코프에게 손가방을 찾아달라고 부탁한다.	( )

02 이 글을 통해 알 수 없는 것은?

① 이인국은 러시아 군인에게 시계를 빼앗겼다.
② 이인국은 스텐코프의 혹 제거 수술에 성공했다.
③ 미국 대사관 브라운 씨의 방에는 한국 문화재가 많이 있다.
④ 이인국은 브라운 씨에게 영어 문법과 발음을 교수받고 있다.
⑤ 이인국은 이전에도 딸의 문제로 브라운 씨의 도움을 받은 적이 있다.

별별 포인트

03 '이인국'에게 '어학적 재질'이 갖는 의미로 가장 적절한 것은?

① 사회 지도층으로서 갖추어야 할 교양
② 생존의 한 방법이자 출세를 위한 수단
③ 우리 민족의 역사를 기록할 수 있는 도구
④ 자식들을 유학 보내기 위해 갖추어야 할 조건
⑤ 다른 나라에 자신의 의료 기술을 알려 주기 위한 방법

가이드북 22쪽

04 **'이인국'이 미국의 '브라운 씨'에게 잘 보이기 위해 선물한 물건으로 적절한 것은?**

① 병풍 ② 금동 불상
③ 백자기 재떨이 ④ 한문으로 쓰인 책
⑤ 상감 진사 고려청자 화병

05 **다음은 이 글의 결말이다. 이 부분에 나타난 '이인국'의 심리 및 태도로 가장 적절한 것은?**

> 차창을 거쳐 보이는 맑은 가을 하늘이 이인국 박사에게는 더욱 푸르고 드높게만 느껴졌다.

① 우리 민족에 대한 자긍심
② 과거에 대한 반성과 뉘우침
③ 죄를 용서받은 것에 대한 후련함
④ 미래의 삶에 대한 기대감과 의욕
⑤ 비참한 현실에 대한 무기력한 태도

별별 포인트

06 **보기는 '이인국'의 삶을 정리한 것이다. 이를 이해한 내용으로 적절하지 <u>않은</u> 것은?**

보기

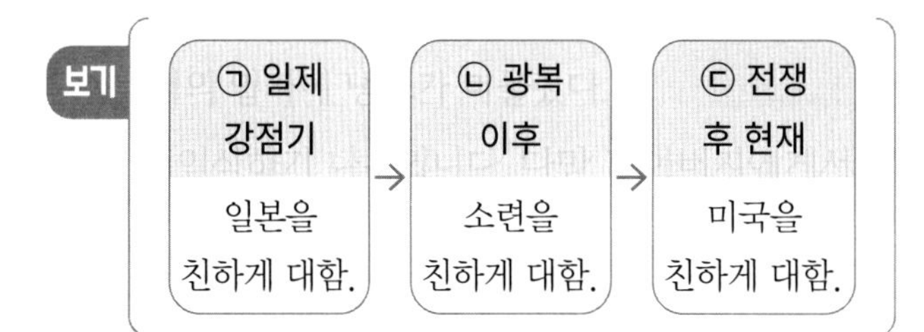

① 이인국은 ㉠에 일본말식으로 영어를 배웠다.
② 이인국은 ㉡에 자신의 의료 기술을 처세법의 수단으로 썼다.
③ 이인국이 ㉠, ㉡에 썼던 처세법은 ㉢에는 제대로 통하지 않았다.
④ 이인국은 ㉠, ㉡, ㉢에 걸쳐 자신의 이익을 가장 중요시하였다.
⑤ 이인국은 ㉠, ㉡, ㉢에 모두 당대에 권력을 잡은 세력에 붙었다.

07 **#3으로 보아 '이인국'이 미국에 가려고 하는 이유로 가장 적절한 것은?**

① 지상의 낙토라고 불리는 미국을 여행해 보고 싶어서이다.
② 의사로서의 사명을 위해 선진국의 의술을 배워 오기 위해서이다.
③ 딸 나미와 아들 원식이를 찾아 한국으로 데리고 오기 위해서이다.
④ 자신을 국무성에 추천해 준 브라운 씨에게 은혜를 갚기 위해서이다.
⑤ 미국에 다녀온 젊은 의사들이 자신에게 잘난 척하지 못하게 하고 지금보다 더 출세하기 위해서이다.

별별 포인트

08 **보기와 작가의 의도를 참고할 때, 이 글의 제목 '꺼삐딴 리'의 의미로 가장 적절한 것은?**

보기

> '꺼삐딴'은 영어 'captain(캡틴)'의 러시아식 발음으로, '꺼삐딴 리'는 스텐코프가 이인국 박사를 최고라고 치켜세워 부르는 말이다.

① 이인국의 의술이 실제로는 형편없음을 보여 준다.
② 친소파에서 친미파가 된 이인국을 비꼬는 표현이다.
③ 미국과 소련이 세력 다툼을 하던 시대 상황을 나타낸다.
④ 발전한 서양 문물을 수용하는 이인국의 태도를 드러낸다.
⑤ 스텐코프와 이인국 박사의 국경을 초월한 우정을 상징한다.

8문제 중에
______문제 맞혔어!

04

성북동 비둘기

김광섭

배경 1960년대, 서울 성북동

도시화되는 성북동의 모습을 통해, 점차 존재 가치를 잃어버리는 자연과 도시 개발에 따라 살아갈 곳을 잃게 된 도시 빈민의 모습을 그림.

개발 전

개발 후

시어 성북동 비둘기

현대 문명으로 인해 파괴된 자연 및 산업화, 도시화로 인해 밀려나고 소외된 계층을 의미함.

화자 문명 비판적인 태도의 화자

성북동이 개발되면서 성북동에서 살아 온 비둘기들이 오갈 데 없는 처지가 된 상황을 제시하여, 자연을 무분별하게 개발하는 인간의 문명을 비판하고 있음.

가이드북 23쪽

읽기 포인트 » 성북동 산에서 살아가던 비둘기가 살 곳을 잃어버리고 쫓기는 신세가 된 이유는 무엇이고, 이를 바라보는 화자의 태도는 어떠한지 파악하며 읽어 보자.

✻성북동 산에 번지가 새로 생기면서
(번지: 땅을 일정한 기준에 따라 나누어 놓은 번호.)
본래 살던 성북동 비둘기만이 번지가 없어졌다.
새벽부터 돌 깨는 산울림에 떨다가
가슴에 금이 갔다.
그래도 ✻성북동 비둘기는
하느님의 광장 같은 새파란 아침 하늘에
성북동 주민에게 축복의 메시지나 전하듯
성북동 하늘을 한 바퀴 휘돈다.
(휘돈다: 어떤 물체가 어떤 공간에서 빙글빙글 마구 돈다.)

성북동 메마른 골짜기에는
조용히 앉아 콩알 하나 찍어 먹을
널찍한 마당은커녕 가는 데마다
채석장 포성이 메아리쳐서
(채석장: 재료로 쓸 돌을 캐거나 떼어 내는 곳.)
피난하듯 지붕에 올라앉아
아침 구공탄 굴뚝 연기에서 향수를 느끼다가
(구공탄: 구멍이 뚫린 연탄. / 향수: 고향을 그리워하는 마음이나 시름.)
산 1번지 채석장에 도로 가서
금방 따 낸 돌 온기에 입을 닦는다.

예전에는 사람을 성자처럼 보고
(성자: 지혜와 덕이 매우 뛰어나 길이 우러러 본받을 만한 사람.)
사람 가까이
사람과 같이 사랑하고
사람과 같이 평화를 즐기던
✻사랑과 평화의 새 비둘기는
이제 산도 잃고 사람도 잃고
✻사랑과 평화의 사상까지
(사상: 어떤 사물에 대하여 가지고 있는 구체적인 사고나 생각.)
낳지 못하는 쫓기는 새가 되었다.

핵심 태그

문명에 의한 자연 파괴로 보금자리를 잃은 ❶ #

도시화로 밀려나 과거에 대한 ❷ # 를 느끼는 비둘기

❸ # 과 평화를 잃어버린 채 쫓기는 비둘기

✶ 별별 포인트 ✶

< 변화된 성북동의 의미 >

과거의 성북동
- 비둘기의 보금자리
- '자연'을 상징

현재의 성북동
- 인간이 사는 개발된 도시
- '인간의 문명'을 상징

→ 1연 1행의 '번지'는 인간의 문명을, 1연 2행의 '번지'는 자연을 나타냄. 이를 통해 인간에 의해 자연이 파괴되는 모습을 비판함.

✶ 별별 포인트 ✶

< '성북동 비둘기'의 상징적 의미 >

'비둘기'의 의미
사랑과 평화의 사상을 낳는 존재

'성북동 비둘기'의 의미
- 인간의 욕심으로 파괴되는 자연
- 산업화, 도시화로 삶의 터전을 빼앗긴 도시 빈민

[01~08] 다음 시를 읽고 물음에 답하시오.

성북동 산에 ⓐ번지가 새로 생기면서
본래 살던 성북동 비둘기만이 ⓑ번지가 없어졌다.
새벽부터 ㉠돌 깨는 산울림에 떨다가
가슴에 금이 갔다.
그래도 성북동 비둘기는
하느님의 광장 같은 ㉡새파란 아침 하늘에
성북동 주민에게 축복의 메시지나 전하듯
성북동 하늘을 한 바퀴 휘돈다.

성북동 메마른 골짜기에는
조용히 앉아 콩알 하나 찍어 먹을
널찍한 마당은커녕 가는 데마다
㉢채석장 포성이 메아리쳐서
피난하듯 지붕에 올라앉아
아침 ㉣구공탄 굴뚝 연기에서 향수를 느끼다가
산 1번지 채석장에 도로 가서
금방 따 낸 돌 온기에 입을 닦는다.

예전에는 사람을 성자처럼 보고
사람 가까이
사람과 같이 사랑하고
사람과 같이 평화를 즐기던
사랑과 평화의 새 비둘기는
이제 산도 잃고 사람도 잃고
사랑과 평화의 사상까지
낳지 못하는 쫓기는 새가 되었다.

오엑스 확인 문제

01 이 시에 대한 설명으로 맞으면 ○표, 틀리면 ×표를 하시오.

화자	화자는 도시 문명에 대해 긍정적이다.	
시어	'비둘기'는 문명을 상징하는 존재이다.	
표현	'ㅅ'으로 시작되는 말을 반복하여 운율을 만든다.	
배경	성북동 산은 도시화가 진행되는 곳이다.	

02 이 시의 화자에 대한 설명으로 가장 적절한 것은?

① 과거 자신의 어린 시절을 떠올리며 그리워하고 있다.
② 자연 속에서 만족하며 살아가는 삶을 지향하고 있다.
③ 인간과 동물이 어울려 살아야 할 필요성을 직접 말하고 있다.
④ 산업화로 인한 인간 소외 현상을 무심한 태도로 서술하고 있다.
⑤ 인간이 이룩한 현대 문명에 대해 비판적인 태도를 드러내고 있다.

별별 포인트

03 '성북동 비둘기'의 상징적인 의미로 가장 적절한 것은?

① 아름다웠던 과거 자연의 모습
② 사랑과 평화를 상징하는 존재
③ 자연을 파괴하는 인간들의 욕심
④ 산업의 발달로 빠르게 변화하는 도시
⑤ 도시 개발로 삶의 터전을 빼앗긴 사람들

04 이 시의 시적 공간을 보기와 같이 나눈다고 할 때, 이에 대한 설명으로 적절하지 않은 것은?

보기

A 과거의 성북동 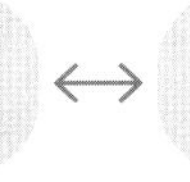 B 현재의 성북동

① A는 '자연'을 상징한다.
② A는 '널찍한 마당'이 있는 공간이다.
③ A는 '비둘기'가 '향수'를 느끼는 공간이다.
④ B는 '도시 문명'을 상징한다.
⑤ B는 '사람'과 '비둘기'가 공존하며 살아가는 공간이다.

05 보기에서 설명하는 시구로 적절한 것은?

이 시에는 성북동이 변해 가는 과정에서 살 곳을 잃어버리게 된 비둘기의 아픔이 나타나 있다. 이 시구는 비둘기가 겪는 아픔을 마치 눈에 보이는 듯한 감각적 표현으로 형상화고 있다.

① 가슴에 금이 갔다
② 성북동 하늘을 한 바퀴 휘돈다
③ 성북동 메마른 골짜기에는
④ 피난하듯 지붕에 올라앉아
⑤ 금방 따 낸 돌 온기에 입을 닦는다

06 ⓐ와 ⓑ에 대한 설명으로 적절하지 않은 것은?

① ⓐ는 인간이 만든 것이다.
② ⓐ는 ⓑ를 대신할 수 없다.
③ ⓑ는 '비둘기'의 보금자리이다.
④ ⓐ와 ⓑ는 대조적 의미로 쓰였다.
⑤ ⓐ와 ⓑ는 과거에는 함께 존재했다.

07 ㉠~㉣ 중, '인간 문명의 폭력성'을 드러내는 시구를 골라 바르게 묶은 것은?

① ㉠, ㉡
② ㉠, ㉢
③ ㉡, ㉢
④ ㉡, ㉣
⑤ ㉢, ㉣

08 보기의 ㉮와 같은 방법으로 이 시를 감상할 때, 그 내용으로 가장 적절한 것은?

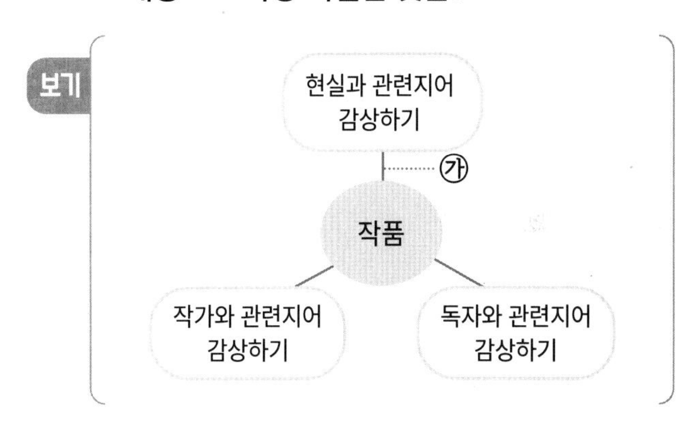

① 이 작품은 청각적 심상을 적절히 활용함으로써 말하고자 하는 주제를 구체적으로 표현하고 있다.
② 중심 소재인 '비둘기'는 메시지를 전달하는 동시에, 현실의 변화 모습을 관찰하는 인물이기도 하다.
③ 이 작품은 현대 사회에서 우리가 잃어버린 것이 무엇인지를 다루고 있다. 그리하여 독자가 삶의 참다운 의미에 대해 생각하게 한다.
④ 1960년대는 산업화·도시화가 빠르게 진행되던 시기였다. 이 작품은 산업화·도시화로 메말라 가는 인간 삶의 모습을 보여 주고 있다.
⑤ 시인 김광섭은 죽을 고비를 넘기고 나서부터 현실의 문제를 다룬 작품을 주로 썼다. 이 작품도 이러한 시인의 경향을 잘 보여 준다.

05
추억에서

박재삼

배경 해가 진 저녁, 진주 장터

시어 울 엄매, 진주 남강, 오명 가명

경남 지방의 사투리와 지역명을 사용하여 고향과 관련한 깊은 정서를 드러냄.

표현 한(恨)의 시각적 표현

상해 가는 생선들의 눈깔, 달빛을 받아 반짝이는 옹기와 같이 시각적 이미지로 어머니의 눈물과 한을 표현함.

화자 어른이 된 화자

화자는 가난했던 어린 시절, 생선 장사를 하며 힘겹게 오누이를 키운 어머니의 고달픈 삶을 떠올리고 있음.

읽기 포인트≫ 어른이 된 화자가 가난했던 어린 시절을 떠올리며 어머니의 한스러웠던 삶을 추억하고 있다. 어머니의 이러한 고달픈 삶의 모습을 보여 주는 표현을 찾으며 읽어 보자.

진주 장터 생어물전에는
(생어물전: 생선, 김, 미역 등의 어물을 전문적으로 파는 가게.)
바닷밑이 깔리는 해 다 진 어스름을,
(어스름: 조금 어둑한 상태. 또는 그런 때.)

울 엄매의 장사 끝에 남은 고기 몇 마리의
✡빛 발(發)하는 눈깔들이 속절없이
(속절없이: 어찌할 도리 없이.)
은전(銀錢)만큼 손 안 닿는 한(恨)이던가
(한: 몹시 원망스럽고 억울하거나 안타깝고 슬퍼 응어리진 마음.)
울 엄매야 울 엄매,

별밭은 또 그리 멀리
우리 오누이의 머리 맞댄 골방 안 되어
✡손 시리게 떨던가 손 시리게 떨던가,

진주 남강 맑다 해도
오명 가명
('오며 가며'의 사투리.)
신새벽이나 밤빛에 보는 것을,
(신새벽: '첫새벽'의 비표준어. 날이 새기 시작하는 새벽.)
✡울 엄매의 마음은 어떠했을꼬,
달빛 받은 옹기전의 옹기들같이
(옹기전: 진흙으로 구워 만든 옹기를 파는 가게.)
✡말없이 글썽이고 반짝이던 것인가.

핵심 태그

❶ # [   ] 에서 생선을 팔며 힘겹게 살아가던 어머니

❷ # [   ] 에서 어머니를 기다리던 오누이

맑은 ❸ # [   ] 도 새벽이나 밤에만 보던 고달픈 어머니의 삶

✶ 별별 포인트 ✶

< 시각적 이미지의 효과 >

해 다 진 어스름	쓸쓸하고 어두운 분위기를 조성함.
빛 발하는 눈깔들, 은전	돈(은전)이 없어 힘겨운 어머니의 삶을 나타냄.
진주 남강 … 신새벽이나 밤빛에 보는	하루 종일 일해야 했던 어머니의 고달픈 삶을 강조함.
달빛 받은 옹기전의 … 반짝이던 것	어머니가 글썽였을 눈물을 시각적으로 형상화함.

✶ 별별 포인트 ✶

< 물음이나 추측 표현의 사용 >

한이던가, 떨던가, 어떠했을꼬, 것인가

화자는 물음이나 추측을 나타내는 말로 문장을 끝맺고 있음.

→ 화자는 과거 어머니의 삶이 고달팠을 것이라고 추리하고 있음. 또한 어른이 된 화자는 어머니의 한스러웠을 삶과 그 슬픔을 이해하고 있음.

[01~08] 다음 시를 읽고 물음에 답하시오.

㉠진주 장터 생어물전에는
바닷밑이 깔리는 해 다 진 어스름을,

울 엄매의 장사 끝에 남은 고기 몇 마리의
㉡빛 발(發)하는 눈깔들이 속절없이
은전(銀錢)만큼 손 안 닿는 ㉢한(恨)이던가
울 엄매야 울 엄매,

ⓐ별밭은 또 그리 멀리
우리 오누이의 머리 맞댄 ⓑ골방 안 되어
손 시리게 떨던가 손 시리게 떨던가,

㉣진주 남강 맑다 해도
오명 가명
㉤신새벽이나 밤빛에 보는 것을,
울 엄매의 마음은 어떠했을꼬,
달빛 받은 옹기전의 옹기들같이
말없이 글썽이고 반짝이던 것인가.

오엑스 확인 문제

01 이 시에 대한 설명으로 맞으면 ○표, 틀리면 ×표를 하시오.

화자	화자는 어린 아이이다.	
시어	'은전'은 넉넉한 재산을 의미한다.	
표현	어머니의 강인한 태도를 옹기전의 옹기들에 빗대어 표현하고 있다.	
배경	저녁 무렵 진주 장터가 배경이다.	

02 이 시의 시적 상황에 대한 설명으로 적절하지 않은 것은?

① 화자는 좁고 추운 집에서 살았다.
② 화자는 누이와 함께 어머니를 기다렸다.
③ 어머니는 가난한 형편에 오누이를 길렀다.
④ 어머니는 새벽부터 밤늦게까지 생선 장사를 하셨다.
⑤ 어머니는 남편을 잃은 슬픔 때문에 밤마다 숨죽여 우셨다.

03 ㉠~㉤에 대한 설명으로 적절하지 않은 것은?

① ㉠: 어머니가 생계를 위해 생선을 팔던 곳이다.
② ㉡: 팔리지 않고 남아서 상해 가는 생선들의 눈빛이다.
③ ㉢: 어머니가 삶에서 느꼈을 심정을 직접 보여 준다.
④ ㉣: 어머니의 슬픔을 위로하는 자연물이다.
⑤ ㉤: 온종일 힘겹게 일하는 어머니의 처지를 나타낸다.

04 이 시의 표현상 특징으로 적절하지 않은 것은?

① 화자와 다른 인물이 이야기를 주고받고 있다.
② 화자가 과거를 회상하며 시상을 전개하고 있다.
③ 구체적인 지명을 사용하여 사실감을 주고 있다.
④ 동일한 시구를 반복하여 운율을 형성하고 있다.
⑤ 사투리를 사용하여 고향에 대한 정감을 드러내고 있다.

별별 포인트

05 보기에서 설명하는 시구로 볼 수 없는 것은?

보기
- 물음이나 추측을 나타내는 표현을 사용하여 시구를 끝맺음.
- 화자가 어머니의 삶을 추리하여 어머니의 한스러움과 슬픔을 이해하고 있음을 나타냄.

① 은전만큼 손 안 닿는 한이던가
② 울 엄매야 울 엄매
③ 손 시리게 떨던가 손 시리게 떨던가
④ 울 엄매의 마음은 어떠했을꼬
⑤ 말없이 글썽이고 반짝이던 것인가

06 ⓐ와 ⓑ에 대한 설명으로 가장 적절한 것은?

① ⓐ와 ⓑ는 둘 다 힘겨운 삶의 공간이다.
② ⓐ와 ⓑ는 둘 다 화자가 그리워하는 공간이다.
③ ⓐ와 ⓑ는 둘 다 화자가 닿을 수 없는 공간이다.
④ ⓑ와 달리, ⓐ는 화자의 소망이 담긴 공간이다.
⑤ ⓐ와 달리, ⓑ는 화자가 현재까지 지내는 공간이다.

07 보기에서 설명하는 시어를 찾아 쓰시오.

보기
- 팔리지 않은 생선 눈깔의 둥근 이미지에서 연상되는 소재이다.
- 어머니가 가질 수 없는 것으로 어머니의 한을 드러내는 소재이다.

____

별별 포인트

08 보기를 바탕으로 이 시를 이해할 때, 그 내용으로 적절하지 않은 것은?

보기

시각, 촉각, 청각, 후각, 미각 등 인간의 감각으로 얻은 것들이 머릿속에 그려지는 것을 감각적 이미지라고 한다. 감각적 이미지를 사용하면 시의 분위기를 조성하거나 시적 상황, 화자의 정서를 강조할 수 있으며, 시의 주제를 효과적으로 나타낼 수 있다.

① '해 다 진 어스름'은 쓸쓸하고 어두운 분위기를 조성하는군.
② '빛 발하는 눈깔들'처럼 남은 생선이 상해 가는 모습은 어머니의 '한'을 떠올리게 하는군.
③ '손 시리게 떨던가'는 추운 밤 어머니를 기다리는 오누이의 모습을 촉각적 이미지로 나타내는군.
④ '달빛'은 화자의 어린 시절을 비추는 존재로 어린 시절에 대한 그리움이라는 작품의 주제를 드러내는군.
⑤ '옹기들'의 반짝임은 어머니의 눈물을 연상시켜 '말없이 글썽이'며 울었을 어머니의 심정을 감각적으로 나타내는군.

8문제 중에 ______ 문제 맞혔어!

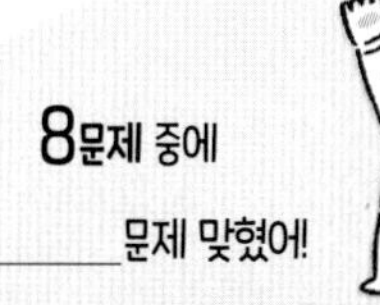

어휘로 마무리

기억해 보자!

01 수난이대 02 광장 03 꺼삐딴 리
04 성북동 비둘기 05 추억에서

01 다음 뜻풀이에 알맞은 어휘를 골라 쓰시오.

손실	자긍	조력	틈서리

한줄 Hint
한 어휘를 구성하고 있는 한글 어휘나, 한자 각각의 뜻을 생각하면 어휘의 의미를 쉽게 파악할 수 있다.

(1) 틈이 난 부분의 가장자리.

(2) 힘을 써 도와줌. 또는 그 힘.

(3) 스스로 자신의 능력을 믿음으로써 가지는 당당함.

(4) 잃어버리거나 모자람이 생겨서 손해를 봄. 또는 그 손해.

02 다음 밑줄 친 어휘와 비슷한 뜻을 가진 어휘를 골라 연결하시오.

한줄 Hint
밑줄 친 말 대신 주어진 어휘를 넣어서 읽었을 때 자연스러운 말과 어색한 말을 나눠 본다.

(1) 재차 눈을 떴을 때는 그는 폭신한 담요 속에 누워 있었다. • • ㉠ 다시

(2) 산 1번지 채석장에 도로 가서 금방 따 낸 돌 온기에 입을 닦는다. • • ㉡ 과정

(3) 그는 시간과 장소를 정확히 회상하면서 시계를 약탈당한 경위를 상세히 설명했다. • • ㉢ 난기

03 다음 밑줄 친 어휘와 바꾸어 쓰기에 적절하지 않은 것은?

한줄 Hint
'넌지시' 대신에 다른 말을 넣었을 때 문장의 뜻이 달라지는 것을 찾는다.

스텐코프는 큰 웃음으로 넌지시 말끝을 막았다.

① 슬쩍 ② 공연히 ③ 슬며시
④ 은근히 ⑤ 슬그머니

04 다음 문장을 읽고, 둘 중 알맞은 어휘를 고르시오.

(1) 한쪽 (어깨쭉찌 / 어깻죽지)가 못 견디게 쿡쿡 쑤셔 댔다.

(2) 사랑과 평화의 사상까지 (낫지 / 낳지) 못하는 쫓기는 새가 되었다.

(3) 앉으라고 하던 장교가, (웃몸 / 윗몸)을 테이블 위로 바싹 내밀면서, 말한다.

한줌 Hint

발음이 비슷하거나 같은 말이라도 뜻이 다른 어휘이거나, 맞춤법에 맞지 않는 말일 수 있다는 점에 유의한다.

05 다음 제시된 뜻을 보고 빈칸에 들어갈 알맞은 어휘를 고르시오.

(1)

그들은 머리를 모으고 [   ] 상의를 한다.

→ 남이 알아듣지 못하도록 작은 목소리로 자꾸 가만가만 이야기하는 소리. 또는 그 모양.

㉠ 왁자지껄 ㉡ 소곤소곤 ㉢ 시끌시끌

(2)

시꺼먼 열차 속에서 [   ] 사람들이 밀려 나왔다.

→ 한군데로 잇따라 많은 사람이나 사물이 몰려가거나 들어오는 모양.

㉠ 꾸역꾸역 ㉡ 달랑달랑 ㉢ 살금살금

한줌 Hint

(1)과 (2)에는 모두 소리나 모양을 흉내내는 말이 들어간다.

06 다음 설명으로 보아 '어스름'을 사용한 표현으로 적절하지 않은 것은?

'어스름'은 '조금 어둑한 상태. 또는 그런 때.'를 가리키는 말이다.

㉠ 새벽 어스름 ㉡ 한낮 어스름 ㉢ 저녁 어스름

한줌 Hint

'새벽', '한낮', '저녁' 중에서 보통 어둡지 않은 때가 언제인지 생각해 본다.

별별 배경

어휘로 마무리

漢字 한자 성어

07 다음 상황에 어울리는 한자 성어로 적절한 것은?

외나무다리 위로 조심조심 발을 내디디며 만도는 속으로,
'이제 새파랗게 젊은 놈이 벌써 이게 무슨 꼴이고. 세상을 잘못 만나서 진수 니 신세도 참 똥이다, 똥.'
이런 소리를 주워섬겼고, 아버지의 등에 업힌 진수는 곧장 미안스러운 얼굴을 하며,
"나꺼정 이렇게 되다니, 아부지도 참 복도 더럽게 없지, 차라리 내가 죽어 버렸더라면 나았을 낀데……."
하고 중얼거렸다.

㉠ 이심전심(以心傳心)
㉡ 개과천선(改過遷善)
㉢ 표리부동(表裏不同)

한줌 Hint

만도는 진수를 안쓰러워하고 있고, 진수는 자식이 불구가 된 아버지의 삶에 대한 안타까움과 아버지에게 죄송한 마음을 가지고 있다.

속담

08 다음은 시 「추억에서」에 대한 설명이다. 이 시에 나타난 '어머니'의 상황을 표현하기에 적절하지 않은 것은?

박재삼의 시 「추억에서」는 화자가 자신의 가난했던 어린 시절을 떠올리는 시이다. 화자의 어머니는 진주 장터에서 생선을 팔았는데, 어머니는 이른 새벽부터 장에 나가 밤늦게서야 집으로 돌아오는 고달픈 생활을 했다. 그 옛날 교통편도 좋지 않았을 시절, 걸어서 그 머나먼 길을 다녔을 어머니의 고달픈 삶을 어른이 된 화자가 추억하는 것이다.

㉠ 입에서 젖내가 난다
㉡ 코에서 단내가 난다
㉢ 똥구멍이 찢어지게 가난하다

한줌 Hint

설명과 그림을 통해 화자의 어머니가 몹시 힘겹게 일하였다는 사실을 알 수 있다.

별별 소재

01 흐르는 북

최일남

인물 민 노인
젊은 시절에 북을 치며 돌아다니느라 가정을 돌보지 않음. 현재 아들 부부에게 얹혀삶.

인물 민대찬과 송 여사
민 노인의 아들 부부. 민 노인이 북을 치는 일이 자신들의 체면을 깎는다며 못마땅해함.

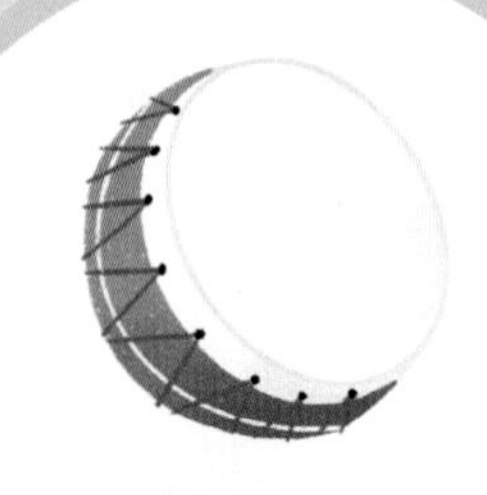

소재 북
민 노인의 분신으로 민 노인의 삶 자체를 뜻함.

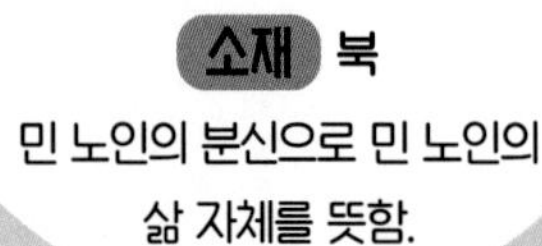

인물 민성규
민대찬의 아들. 대학교 탈춤 동아리에서 활동함.

사건 세대 간의 갈등
성규의 부탁으로 민 노인이 성규네 학교에서 북을 치자, 이 일로 송 여사는 민 노인에게 화를 내고, 성규는 부모님과 다툼.

읽기 포인트» 민 노인이 성규네 대학에 가서 대학생들과 북을 치며 어울린 일로 민대찬 부부가 성규를 나무라고 있다. '북'을 둘러싼 인물들의 생각과 태도가 어떻게 다른지 파악하며 읽어 보자.

#1 그날 밤, 민 노인은 요즈음 흔치 않은 노곤함으로 깊은 잠을 잤다. 춤판이 끝나고 아이들과 어울려 조금 과음한 까닭도 있을 것이었다. 더 많이는 오랜만에 돌아온 자기 몫을 제대로 해냈다는 느긋함이 꿈도 없는 잠을 거쳐 상큼한 아침을 맞게 했을 것으로 믿었는데 그런 흐뭇함은 오래가지 않았다. 다 저녁때가 되어 외출에서 돌아온 며느리는 집 안에 들어서자마자 성규를 찾았고, 그가 안 보이자 민 노인의 방문을 밀쳤다.

(노곤함: 나른하고 피로함. / 과음: 술을 지나치게 마심.)

"아버님, 어저께 성규 학교에 가셨어요?"

예사로운 말씨와는 달리, 굳어 있는 표정 위로는 낭패의 그늘이 좍 깔려 있었다. 금방 대답을 못 하고 엉거주춤한 형세로 며느리를 올려다보는 민 노인의 앞에서, 송 여사의 한숨 섞인 물음이 또 떨어졌다.

(낭패: 계획한 일이 실패로 돌아가거나 기대에 어긋나 매우 딱하게 됨.)

"북을 치셨다면서요."

"그랬다. 잘못했니?"

우선은 죄인 다루듯 하는 며느리의 따져 묻는 질문에 부아가 꾸역꾸역 치솟고, 소문이 빠르기도 하다는 놀라움이 그 뒤에 일었다.

(부아: 노엽거나 분한 마음.)

"아이들 노는 데 구경 가시는 것까지는 몰라도, 걔들과 같이 어울려서 북 치고 장구 치는 게 나이 자신 어른이 할 일인가요?"

"하면 어때서. 성규가 지성으로 청하길래 응한 것뿐이고, 나는 원래 그런 사람 아니니. 이번에도 내가 늬들 체면 깎았냐."

(자신: '먹은'의 높임말. / 지성: 더할 수 없는 정성.)

"아시니 다행이네요."

★별별 포인트★

〈 '민 노인'과 '송 여사'의 갈등 〉

민 노인(시아버지)
자신을 죄인 다루듯 하는 며느리에게 부아가 치솟음.

↕

송 여사(며느리)
민 노인이 북을 치는 일이 자신과 남편의 체면을 깎는다고 생각함.

#1 핵심 태그

민 노인이 성규 학교에 가서 # 을 친 일을 따지는 며느리 송 여사

#2 송 여사는 후닥닥 문을 닫고 나갔다. 일은 그것으로 끝나지 않았다. 며느리는 퇴근한 남편을 붙들고, 밖에 나갔다가 성규와 같은 과 학생인 진숙이 어머니한테서 들었다는 얘기를 전했다. 진숙이 어머니는 민 노인이 가면극에 나왔다는 귀띔에 잇대어, 성규 어머니는 그렇게 멋있는 시아버지를 두셔서 참 좋겠다며 빈정거리더라는 말도 덧붙였다. 그런데 이상스럽게도 아들은 민 노인에겐 아무런 내색을 하지 않았다. 그냥 덤덤한 낯빛이다가 식구들이 저녁을 마친 후에야 돌아온 성규를 사정없이 몰아붙였다.

(귀띔: 상대편이 눈치로 알아차릴 수 있도록 슬그머니 일깨워 줌. / 빈정거리더라: 남을 비웃는 태도로 자꾸 놀리더라.)

"너더러 누가 그런 짓 하랬어."

현관에서 신발을 벗고 한 발자국 내딛는 순간, 노기를 한꺼번에 모은 큰 꾸짖음이 그를 사로잡았다. 영문을 몰라 아버지와 어머니 쪽으로 눈알을 번갈아 돌리는 성규를 향해, 이번에는 어머니가 차디차게 말했다.

노기: 성난 얼굴빛. 또는 그런 기색이나 기세.

"잘하는 일이다. 할아버지를 끌어내지 않으면 늬네들 춤판은 성사가 안 되니?"

성사: 일을 이룸. 또는 일이 이루어짐.

나는 또 뭐라고 하는 식의 가벼운 대응이 성규의 안면에 퍼지면서 입으로는 씩 웃음을 흘렸다.

"너 날 놀리는 거니?" / 첫마디와 달리 착 가라앉은 아버지의 음성에는 분에 떠는 사람에게 일쑤 있음직한, 삭지 않은 가래가 조금 끓었다. 정색을 하고 쳐드는 성규의 눈빛에도 서리가 내린 인상이었다.

일쑤: 드물지 않게 흔히.

"무슨 말씀이세요?" / "지금 웃었잖아."

"웃은 게 잘못이라면 사과할게요. 할아버지를 그런 자리에 모신 건, 그러나 사과할 것이 못 됩니다." / "할아버지까지 동원한 게 잘한 짓이니?"

동원한: 어떤 목적을 달성하고자 사람을 모은.

"동원이란 말이 싫습니다. 누가 누구를 동원한단 말입니까. 또 그 일이 어째서 잘하고 잘못하고로 구별돼야 하는지, 저는 통 이해를 할 수가 없습니다. 그건 잘하고 잘못하고의 인식에서는 벗어나는 일입니다. 누군가가 어떤 일에 합당한 재능을 갖고 있을 때, 한쪽은 그걸 표현할 기회를 주어야 마땅하며, 한쪽은 기꺼이 그 기회에 편승해서, 일이 잘되면 그보다 좋은 일이 어디 있습니까?"

편승해서: 세태나 남의 세력을 이용하여 자신의 이익을 거두어서.

"너 이제 보니 참 똑똑하구나. 그래서, 일이 잘됐니?" / "대성공이었습니다."

"할아버지는 기꺼이 응하지 않았을 게다. 네가 유혹했어."

"결과는 마찬가지예요. 저는 그날 할아버지에게서 그걸 확인했습니다."

★ 별별 포인트 ★

< '민 노인'이 북을 치는 일에 대한 인물들의 태도 >

인물	태도
민성규	민 노인의 예술적 재능을 존중하고, 민 노인이 북을 칠 수 있도록 기회를 마련해 줌.
민대찬·송 여사	자신들의 체면이 깎일까 염려하여 민 노인이 북을 치는 것을 꺼림.

#2 핵심 태그

(　　　) 를 동원한 일로 성규를 꾸짖는 아버지에게 사과할 일이 아니라는 성규

#3 "너는 할아버지와 나와의 관계에 대해, 특히 내가 취하고 있는 입장에 대단히 불만이지?"

"그럴 것도 없습니다. 아버지의 할아버지에 대한 처지를 이해하면서도 그 논리를 그대로 저와 연결하고 싶지도 않고, 그럴 필요도 없다고 생각하는 편이에요."

"기특하구나. 그러니까 너만이라도 할아버지에게 화해의 제스처를 보이겠다는 거냐 뭐냐. 지금까지의 네 행동을 보면 그런 추측을 가능케 하더라만."

"그것도 맞지 않는 말이에요. 도대체 할아버지와 저와는 갈등이 있었어야 말이죠. 처음부터 갈등이 없었는데 화해의 제스처를 보이고 말고가 어디 있습니까. 할아버지와의 갈등이 있었다면, 그건 아버지의 몫이지 저와는 상관이 없는 겁니다. 오히려 전 세대끼리의 갈등이 다음 세대에서 쾌적한 만남으로 이어진다면, 그건 환영할 만한 일이고, 그게 또 역사의 의미 아니겠습니까?"

"뭐야. 이놈의 자식. 네가 나를 훈계하는 거얏!"
타일러서 잘못이 없도록 주의를 줌. 또는 그런 말.

말이 떨어지기 무섭게, 아버지의 손바닥이 성규의 볼때기를 후려쳤다. 옆에 있던 어머니의 쇳소리가 그의 뺨에 달라붙었다. / "또박또박 말대답하는 것 좀 봐."
쨍쨍 울릴 정도로 야무지고 날카로운 목소리를 비유적으로 이르는 말.

"아버지의 마음을 모르는 게 아니에요. 그렇다고 아버지의 생각 속으로만 저를 챙겨 넣으려고 하지 마세요."

성규는 얻어맞은 자리를 어루만지지도 않고, 되레 풀 죽은 목소리가 되었다.

"네가 알긴 뭘 알아. 네가 내 속을 어떻게 알아."

"그런 말씀은 이제 그만 좀 하셨으면 해요. 안팎에서 듣는 그 말에 물릴 지경이거든요. '너는 아직 모른다. 너도 내 나이가 되어 봐라…….' 고깝게 듣지 마세요. 그때 가서 그 뜻을 알지언정, 지금부터 제 사고와 행동을 포기하고 싶지는 않습니다. 그런 뜻에서 제가 할아버지를 우리 모임에 초청한 사실을 후회하지 않을뿐더러, 옳았다고 생각합니다. 아버지가 할아버지를 심리적으로 떼 놓으려 하고, 또 한편으로는 이해하려는 모순을 저도 이해합니다. 노상 이기적인 현실에의 집착이 그걸 누르는 데 대한, 어쩔 수 없는 생활인의 감각까지도 저는 알고 있습니다. ✲그러나 역설적이고 건방지게 들릴지 모르지만, 제 나이는 또 할아버지의 생애를 이해합니다. 북으로 상징되는 할아버지의 삶을 놓고, 아버지와 제가 감정적으로 갈라서는 걸 비극의 차원에서 파악할 것도 아니라고 봅니다. 할아버지가 자신의 광대 기질에 철저하여 가족을 버린 건 비난받아야 할 일이나, 예술의 이름으로는 용서받을 수 있습니다."

물릴: 다시 대하기 싫을 만큼 몹시 싫증이 날.
고깝게: 섭섭하고 야속하여 마음이 언짢게.
노상: 변함없이 한 모양으로 줄곧.

"그래서? 할아버지가 나름대로의 예술을 완성했니?"

아버지의 입가에 냉소가 머물렀다.
쌀쌀한 태도로 비웃음. 또는 그런 웃음.

"그건 인식하기 나름입니다. 다만 할아버지에게서 북을 뺏는 건 할아버지의 한을 배가하고, 생의 마지막 의지를 짓밟는 것에 다름 아니라는 생각만은 갖고 있습니다."
갑절 또는 몇 배로 늘리고.

방 안의 민 노인이 천천히 응접실로 나온 건 그때였다. 자기 때문에 성규가 궁지에 몰려 있는 걸 보고만 있을 수 없어서였는데, 아들은 집안의 분란을 더 키우고 싶지 않았던지, 민 노인 쪽엔 시선을 돌리지도 않은 채 성규에게만 소리를 꽥 질렀다.

"건방 그만 떨고 어서 가서 잠이나 자. 다시 그런 짓을 했다간 이 정도로 끝나지 않을 줄 알아."

제 방으로 돌아가던 성규는 민 노인과 눈이 마주치자 재빠른 웃음을 보냈다. 음모꾼끼리의 신호 같았다.
음모꾼: 나쁜 목적으로 몰래 흉악한 일을 꾸미는 사람을 낮잡아 이르는 말.

★별별 포인트★

< '북'의 의미와 역할 >

민 노인	자신의 분신과도 같은 물건
민대찬	예술 한다고 아버지가 가족을 버리게 한 물건
민성규	할아버지의 삶의 일부로 느껴지는 물건

↓

- 민 노인과 민대찬이 갈등하는 계기
- 민 노인과 민성규를 이어 주는 매개체

#3 핵심 태그

(빈칸) 으로 상징되는 할아버지의 삶을 이해한다고 말하는 성규

앞부분 줄거리

민 노인은 젊은 시절 가족을 돌보지 않고 북을 치며 방랑하다가 나이가 들어 아들 부부에게 얹혀산다. 민 노인의 아들 민대찬은 자수성가하였지만 아버지 때문에 어린 시절을 어머니와 힘들게 보냈기에 아버지와 사이가 좋지 않다.

민대찬은 자신의 친구들이 민 노인에게 북소리를 청해 듣고 가자, 민 노인이 자신의 체면을 깎았다며 민 노인이 북을 치는 일을 반대한다. 그 후로 민 노인은 집에 손님이 오는 날이면 자리를 피하기 위해 밖으로 나가는 습관이 생겼다.

가족 중에서 민 노인의 예술적 기질과 삶을 이해해 주는 사람은 손자 민성규뿐이다. 어느 날 민 노인은 손자 성규에게서 봉산 탈춤 공연에 참여해 달라는 제의를 받고 고민 끝에 공연에서 북을 잡는다. 오랜만에 북을 잡은 민 노인은 공연에서 북을 치며 감동과 신명을 느낀다.

제시 장면 줄거리

며느리 송 여사는 민 노인이 성규의 학교 축제에서 1 ___ 을 친 일을 알게 되고, 이를 비난한다. 민대찬은 할아버지를 공연에 끌어들인 성규를 크게 꾸짖으며 민 노인의 예술 정신을 무시한다. 성규는 이에 반발하며 아버지 2 ___ ___ ___ 과 대립한다.

뒷부분 줄거리

일주일쯤 후에 성규가 데모를 하다가 잡혀간다. 민 노인은 북을 두드리며 자신의 역마살과 손자의 데모에는 닮은 점이 있다고 생각한다.

별별 소재

오엑스 확인 문제

01 이 글에 대한 설명으로 맞으면 ○표, 틀리면 ×표를 하시오.

- 인물: 송 여사는 민 노인의 며느리이다. ( )
- 사건: 민 노인은 손자와 함께 가면극에 참여하였다. ( )
- 배경: 민대찬과 민성규는 성규네 학교에서 말싸움을 벌이고 있다. ( )
- 소재: 민성규는 할아버지와 '북'은 떼어 놓을 수 없는 관계라고 생각한다. ( )

별별 포인트

02 '민대찬'과 '송 여사'가 자신들의 체면을 깎는 일로 여긴 것은?

① 민 노인이 북을 치는 일
② 성규가 부모에게 대드는 일
③ 성규가 동아리 활동을 하는 일
④ 민 노인이 아이들과 술을 먹은 일
⑤ 민 노인이 자신들과 함께 사는 일

별별 포인트

03 '북'에 대해 등장인물들이 했음 직한 생각으로 적절하지 <u>않은</u> 것은?

① 민 노인: '북은 내 분신과도 같은 물건이야.'
② 민대찬: '아버지가 가족을 돌보지 않은 건 모두 북 때문이야.'
③ 민대찬: '아버지가 북으로 예술의 완성을 이루어 낸 건 인정해야지.'
④ 민성규: '북은 할아버지의 삶이나 마찬가지야.'
⑤ 민성규: '북에 담긴 할아버지의 예술 정신은 존중받아야 해.'

04 **이 글의 제목 '흐르는 북'에 대한 이해로 가장 적절한 것은?**

① 늙어서도 북을 치는 민 노인의 모습에서 민 노인의 열정을 나타낸다.
② 아버지의 예술을 부정하는 민대찬의 모습에서 세대 간의 단절을 나타낸다.
③ 북을 대하는 인물들의 태도에서 예술을 바라보는 시각이 다양함을 나타낸다.
④ 예술을 위해 가족을 버린 민 노인의 모습에서 현실과 동떨어진 예술을 나타낸다.
⑤ 민 노인의 예술을 이해하는 민성규의 모습에서 세대 간의 이해가 중요함을 나타낸다.

05 **'민대찬'이 '민 노인'에게 내색하지 않고 아들에게만 화를 내는 이유로 가장 적절한 것은?**

① 송 여사의 말이 진짜인지 확인하기 위해서
② 송 여사에게 비난받은 민 노인이 안쓰러워서
③ 민 노인과의 직접적인 갈등을 피하기 위해서
④ 민 노인과 싸우는 모습을 아들에게 보여 주기 싫어서
⑤ 민 노인이 북을 친 일이 잘못된 일이 아니라고 생각해서

별별 포인트

06 **'민 노인'과 '민대찬'에 대한 '민성규'의 태도로 적절하지 않은 것은?**

① 민 노인의 예술 정신을 존중한다.
② 민 노인에 대한 민대찬의 마음을 이해한다.
③ 민 노인이 가족을 버린 것은 잘못이라고 생각한다.
④ 민 노인과 민대찬의 갈등이 자신과는 별개라고 여긴다.
⑤ 자신이 민 노인과 민대찬을 화해시키기 위해 노력해야 한다고 생각한다.

07 **다음은 #2에서 '민성규'가 한 말이다. ㉠~㉢에 해당하는 인물을 바르게 정리한 것은?**

> "…… ㉠누군가가 어떤 일에 합당한 재능을 갖고 있을 때, ㉡한쪽은 그걸 표현할 기회를 주어야 마땅하며, ㉢한쪽은 기꺼이 그 기회에 편승해서, 일이 잘되면 그보다 좋은 일이 어디 있습니까?"

	㉠	㉡	㉢
①	민대찬	민성규	민 노인
②	민 노인	민대찬	민성규
③	민 노인	민성규	민 노인
④	민 노인	민성규	민성규
⑤	송 여사	민대찬	민성규

08 **보기로 보아 '민대찬'이 '민성규'에게 말하는 방식으로 적절한 것은?**

보기
> "뭐야. 이놈의 자식. 네가 나를 훈계하는 거야!"

① 상대방의 의견을 존중하며 공감한다.
② 감정에 호소하여 동정심을 유발한다.
③ 겉으로는 칭찬하는 듯하지만 실제로는 상대방을 비난한다.
④ 자신의 생각을 간접적으로 돌려 말하며 상대방과의 갈등을 피한다.
⑤ 비속한 표현을 사용하며 상대방에게 강압적이고 권위적인 태도를 보인다.

8문제 중에 ________ 문제 맞혔어!

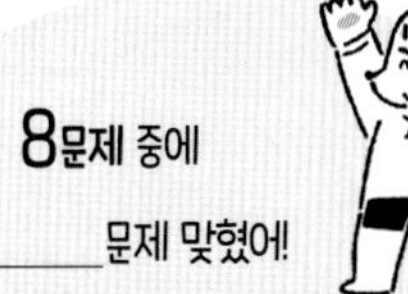

02

아홉 켤레의 구두로 남은 사내

윤흥길

인물 의사

산부인과 원장. 수술비를 받기 전까지 권 씨 아내의 수술을 하지 않다가 '나'에게 돈을 받고 수술함.

배경 1970년대, 경기도 성남 지역

급격한 도시화와 산업화가 진행되던 시기로, 그 과정에서 소외된 권 씨의 어려운 삶을 그림.

난 대학도 졸업한 사람이라고!

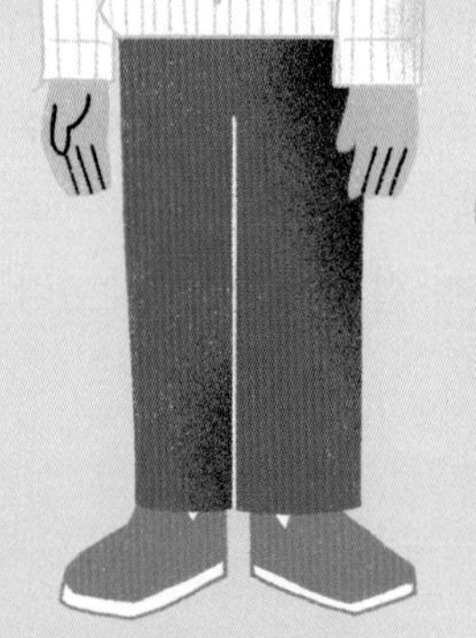

인물 권 씨

정부 정책에 반대하는 시위를 하다가 전과자가 된 후 공사장에서 일하며 근근이 살아가는 인물. 만삭인 아내의 수술비를 마련하기 위해 애를 씀.

인물 '나'(오 선생)

초등학교 교사. 권 씨가 세 들어 사는 문간방의 집 주인. 자신도 어렵게 살았기 때문에 권 씨에게 연민을 느낌.

사건 강도가 된 '권 씨'

아내의 수술비를 마련하지 못한 권 씨는 강도가 되어 '나'의 집에 침입하고, '나'에게 정체를 들키자 행방불명됨.

소재 구두

가난한 처지에 열 켤레나 되는 구두는 지식인으로서의 권 씨의 자존심을 상징함.

읽기 포인트 » '나'는 집에 들어온 강도가 권 씨라는 사실을 눈치채고 있다. 권 씨가 왜 강도가 되었는지, '나'가 권 씨의 집에서 발견한 '구두'가 상징하는 의미는 무엇인지 파악하며 읽어 보자.

#1 "일어나, 얼른 일어나라니까." / 나 외엔 더 깨우고 싶지 않은지 강도의 목소리는 무척 낮고 조심스러웠다. 나는 일어나고 싶었지만 도무지 일어날 수가 없었다. ✡목 앞을 겨눈 식칼이 덜덜덜 위아래로 춤을 추었다. 만약 강도가 내 목통이라도 찌르게 된다면 그것은 고의에서가 아니라 지나친 떨림으로 인한 우발적인(어떤 일이 예기치 않게 우연히 일어나는 것.) 상해(남의 몸에 상처를 내어 해를 끼침.)일 것이었다. 무척 모자라는 강도였다. 나는 복면 위의 눈을 보는 순간에 상대가 그 방면의 전문가가 못 됨을 금방 알아차렸던 것이다. 딴에 진탕 마신 술로 한껏 용기를 돋웠을 텐데도 보기 좋을 만큼 큰 눈이 착하게만 타고난 제 천성을 어쩌지 못한 채 나를 퍽 두려워하고 있었다. 술로 간을 키우지 않고는 남의 집 담을 못 넘을 정도라면 강력 범행을 도모하는(어떤 일을 이루기 위하여 대책과 방법을 세우는.) 사람으로서는 처음부터 미역국이었다.

"일어날 테니까 칼을 약간만 뒤로 물려 주시오." / 강도는 시키는 대로 했다.

"내놔, 얼른 내놓으라니까." / 내가 다 일어나 앉기를 기다려 강도가 속삭였다.

"하라는 대로 하죠. 하지만 당신도 내가 하라는 대로 해야만 일이 수월할 거요."

잔뜩 의심을 품고 쏘아보는 강도를 향해 나는 덧붙여 말했다.

"집 안에 현금은 변변찮소. 화장대 위에 돼지 저금통하고 장롱 서랍 속에 아마 마누라가 쓰다 남은 돈이 약간 있을 거요. 그 밖에 돈이 될 만한 건 당신이 알아서 챙겨 가시오." / 강도가 더욱 의심을 두고 경거히(말이나 행동이 가볍게.) 움직이려 하지 않았으므로 나는 시험 삼아 조금 신경질을 부려 보았다.

"마누라가 깨서 한바탕 소동을 벌여야만 시원하겠소? 난처해지기 전에 나를 믿고 일러 주는 대로 하는 게 당신한테 이로울 거요." / 한차례 길게 심호흡을 뽑은 다음 강도는 마침내 결심을 했다는 듯이 이부자리를 돌아 화장대 쪽으로 향했다. ✡얌전히 구두까지 벗고 양말 바람으로 들어온 강도의 발을 나는 그때 비로소 볼 수 있었다. 내가 그렇게 염려를 했는데도 강도는 와들와들 떨리는 다리를 옮기다가 그만 부주의하게 동준이의 발을 밟은 모양이었다. ✡동준이가 갑자기 칭얼거리자 그는 질겁(뜻밖의 일에 자지러질 정도로 깜짝 놀람.)을 하고 엎드리더니 녀석의 어깨를 토닥거리는 것이었다. 녀석이 도로 잠들기를 기다려 그는 복면 위로 칙칙하게 땀이 밴 얼굴을 들고 일어나서 내 위치를 흘끔 확인한 다음 본격적인 작업에 들어갔다. ✡터지려는 웃음을 꾹 참은 채 강도의 애교스러운 행각을 시종(처음과 끝을 아울러 이르는 말.) 주목하고 있던 나는 살그머니 상체를 움직여 동준이를 잠재울 때 이부자리 위에 떨어뜨린 식칼을 집어 들었다.

★별별 포인트★

< 강도가 '권 씨'임을 알려 주는 요소 >

- 목 앞을 겨눈 식칼이 덜덜덜 떨림.
- 얌전히 구두까지 벗고 양말 바람으로 들어옴.
- 다리를 와들와들 떨고, 동준이가 칭얼거리자 질겁을 함.
- 동준이를 토닥거리다가 식칼을 떨어뜨림.

↓

순박하고 착한 성품으로 강도짓도 제대로 못하는 소심한 '권 씨'의 모습을 드러냄.

#1 핵심 태그

집에 들어온 # 의 어설픈 행동에 강도가 권 씨임을 눈치채는 '나'

#2 "도둑맞을 물건 하나 제대로 없는 주제에 이죽거리긴!"
자꾸 입살스럽게 지껄이며 짓궂게 빈정거리긴.

"그래서 경험 많은 친구들은 우리 집을 거들떠도 안 보고 그냥 지나치죠."

"누군 뭐 들어오고 싶어서 들어왔나? 피치 못할 사정 땜에 어쩔 수 없이……."

나는 강도를 안심시켜 편안한 맘으로 돌아가게 만들 절호의 기회라고 판단했다.
무엇을 하기에 더할 수 없이 좋음.

"그 피치 못할 사정이란 게 대개 그렇습디다. 가령 식구 중에 누군가가 몹시 아프다든가 빚에 몰려서……." / 그 순간 강도의 눈이 의심의 빛으로 가득 찼다. 분개한 나머지 이가 딱딱 마주칠 정도로 떨면서 그는 대청마루를 향해 나갔다. 내
몹시 화나고 원통하게 여김. 방과 방 사이에 있는 큰 마루.
옆을 지나쳐 갈 때 그의 몸에서는 역겨울 만큼 술 냄새가 확 풍겼다. 그가 허둥지둥 끌어안고 나가는 건 틀림없이 갈기갈기 찢어진 한 줌의 자존심일 것이었다. 애당초 의도했던 바와는 달리 내 방법이 결국 그를 편안케 하긴커녕 오히려 더욱더 낭패케 만들었음을 깨닫고 나는 그의 등을 향해 말했다.

"어렵다고 꼭 외로우란 법은 없어요. 혹 누가 압니까, 당신도 모르는 사이에 당신을 아끼는 어떤 이웃이 당신의 어려움을 덜어 주었을지?" / "개수작 마! 그따위 이웃은 없다는 걸 난 똑똑히 봤어! 난 이제 아무도 안 믿어!"

그는 현관에 벗어 놓은 구두를 신고 있었다. 그 구두를 보기 위해 전등을 켜고 싶은 충동이 불현듯 일었으나 나는 꾹 눌러 참았다. 현관문을 열고 마당으로 내려선 다음
순간적으로 어떤 일을 하고 싶은 욕구를 느끼게 하는 마음속의 자극.
부주의하게도 그는 식칼을 들고 왔던 자기 본분을 망각하고 엉겁결에 문간방으로 들어가려 했다. 그의 실수를 지적하는 일은 훗날을 위해 나로서는 부득이한 조처였다.

"대문은 저쪽입니다." / 문간방 부엌 앞에서 한동안 망연해 있다가 이윽고 그는
아무 생각이 없이 멍하게.
대문 쪽을 향해 느릿느릿 걷기 시작했다. 비틀비틀 걷기 시작했다. 대문에 다다르자 그는 상체를 뒤틀어 이쪽을 보았다.

"이래 봬도 나 대학까지 나온 사람이오."

누가 뭐라고 그랬나? 느닷없이 그는 자기 학력을 밝히더니만 대문을 열고는 보안등 하나 없는 칠흑의 어둠 저편으로 자진해서 삼켜져 버렸다.
어두워서 범죄나 사고가 발생할 염려가 있는 곳에 안전을 위해 다는 등.

나는 대문을 잠그지 않았다. 그냥 지쳐 놓기만 하고 들어오면서 문간방에 들러
문을 잠그지 않고 닫아만 두고.
권 씨가 아직도 귀가하지 않았음과 깜깜한 방 안에서 어미 아비 없이 오뉘만이 새우잠을 자고 있음을 아울러 확인하고 나왔다. 아내는 잠옷 바람으로 팔짱을 끼고 현관 앞에 서 있었다. / "무슨 일이라도 있었어요?" / "아무것도 아냐."

잃은 물건이 하나도 없다. 돼지 저금통도 화장대 위에 그대로 있다. 아무것도 아닐 수밖에. 다시 잠이 들기 전에 나는 아내에게 수술 보증금을 대신 내 준 사실을 비로소 이야기했다. 한참 말이 없다가 아내는 벽 쪽으로 슬그머니 돌아누웠다.

★별별 포인트★

< '권 씨'가 한 말의 의미 >

"개수작 마! 그따위 이웃은 없다는 걸 ~ 아무도 안 믿어!"
의지할 곳이 없는 현실에 대한 권 씨의 깊은 좌절감을 느낄 수 있음.

"이래 봬도 나 대학까지 나온 사람이오."
강도짓을 할 만큼 비참한 처지지만 자신이 배운 사람임을 강조하여 자존심을 잃지 않고자 함.

#2 핵심 태그

자존심에 상처를 입고 집을 나간 권 씨와 # ______ 을 잠그지 않고 기다리는 '나'

#3 이튿날 아침까지 권 씨는 귀가해 있지 않았다. 출근하는 길에 병원에 들러 보았다. 수술 보증금을 구하러 병원 문밖을 나선 이후로 권 씨가 거기에 재차 발걸음한 흔적은 어디에서도 찾아볼 수 없었다.

그다음 날, 그 다음다음 날도 권 씨는 귀가하지 않았다. 그가 행방불명(간 곳이나 방향을 모름.)이 된 것이 이제 분명해졌다. 그리고 본의는 그게 아니었다 해도 결과적으로 내 방법이 매우 졸렬했음(생각이 좁고 서툴렀음.)도 이제 확연히 밝혀진 셈이었다. 복면 위로 드러난 두 눈을 보고 나는 그가 다름 아닌 권 씨임을 대뜸 알아차릴 수 있었다. 밝은 아침에 술이 깬 권 씨가 전처럼 나를 떳떳이 대할 수 있게 하자면 복면의 사내를 끝까지 강도로 대우하는 그 길뿐이라고 판단했었다. 그래서 아무 일도 없었던 듯이 병원에 찾아가서 죽지 않은 아내와 새로 얻은 세 번째 아이를 만날 수 있게 되기를 기대했던 것이다. 현관에서 그의 구두를 확인해 보지 않은 것이 뒤늦게 후회되었다. 문간방으로 들어가려는 그를 차갑게 일깨워 준 것이 영 마음에 걸렸다. ✫어떤 근거인지는 몰라도 구두의 손질의 정도에 따라 그의 운명을 예측할 수도 있지 않았을까 하는 생각이 드는 것이었다. 구두코가 유리알처럼 반짝반짝 닦여 있는 한 자존심은 그 이상으로 광발이 올려져 있었을 것이며, 그러면 나는 안심해도 좋았던 것이다. 그때 그가 만약 마지막이란 걸 마음에 두고 있었다면 새끼들이 자는 방으로 들어가려는 길을 가로막는 그것이 그에게는 대체 무엇으로 느껴졌을 것인가.

아내가 병원을 다니러 가는 편에 아이들을 죄다 딸려 보낸 다음 나는 문간방을 샅샅이 뒤졌다. 방을 내준 후로 밝은 낮에 내부를 둘러보긴 처음인 셈이었다. 이사 올 때 본 그대로 세간(집안 살림에 쓰는 온갖 물건.)이라곤 깔고 덮는 데 쓰이는 것과 쌀을 익혀서 담는 몇 점 도구들이 전부였다. 별다른 이상은 눈에 띄지 않았다. 구태여 꼭 단서가 될 만한 흔적을 찾자면 그것은 구두일 것이었다. 가장 값나가는 세간의 자격으로 장롱 따위가 자리 잡고 있을 꼭 그런 자리에 ✫아홉 켤레나 되는 구두들이 사열받는(부대의 훈련 정도나 장비 유지 상태를 검열받는.) 병정들 모양으로 가지런히 놓여 있었다. 정갈하게 닦인 것이 여섯 켤레, 그리고 먼지를 덮어쓴 게 세 켤레였다. 모두 해서 열 켤레 가운데 마음에 드는 일곱 켤레를 골라 한꺼번에 손질을 해서 매일매일 갈아 신을 한 주일의 소용에 당해 온 모양이었다. 잘 닦인 일곱 중에서 비어 있는 하나를 생각하던 중 나는 한 켤레의 그 구두가 그렇게 쉽사리는 돌아오지 않으리란 걸 알딸딸하게(뜻밖의 일로 당황하거나 여러 가지 일이 복잡해서 정신을 가다듬지 못하게.) 깨달았다.

권 씨의 행방불명을 알리지 않으면 안 될 때였다. 내 쪽에서 먼저 전화를 걸기는 그것이 처음이자 마지막이었다. 나는 되도록 침착해지려 노력하면서 내게, 이웃을 사랑하게 될 거라고 여러 번 장담한 바 있는 이 순경을 전화로 불렀다.

★ 별별 포인트 ★

< '구두'의 상징적 의미 >

- 지식인으로서 권 씨의 마지막 남은 자존심
- 권 씨의 심리 상태 암시
- 권 씨가 소중하게 생각하는 대상

아홉 켤레의 구두	자존심마저 잃어버린 권 씨의 비참한 처지를 의미함.
한 켤레의 구두	행방불명된 권 씨를 의미함.

#3 핵심 태그

아홉 켤레의 # ______ 만 남기고 행방불명된 권 씨

앞부분 줄거리

초등학교 교사인 '나'(오 선생)는 셋방살이를 전전하다가 어렵게 집 한 채를 장만하고 문간방에 세를 놓는다. 이 방에 권 씨가 임신한 아내와 아이 둘을 데리고 이사를 온다. 권 씨는 이불 보따리 하나와 취사도구뿐인 가난한 살림살이 속에서도 여러 켤레의 구두만큼은 소중히 여기며 깨끗하게 닦아 놓는다.

권 씨가 이사 온 며칠 뒤 이 순경이 '나'를 찾아와 권 씨가 전과자이니 그의 동태를 살펴 달라는 부탁을 한다. 어느 날 밤, 술에 취해 들어온 권 씨는 '나'에게 도시 개발과 관련한 정부 정책에 반대하여 시위를 하다가 주동자로 몰려 전과자가 되었고, 그 때문에 변변한 일자리 없이 가난한 생활을 하게 된 자신의 과거를 들려준다.

얼마 뒤 집에서 아이를 낳으려던 권 씨의 아내는 진통이 길어져 한밤중에 병원으로 옮겨진다. 권 씨는 '나'가 근무하는 학교로 찾아와 아내의 수술비를 빌려 달라고 하지만 '나'는 거절한다. 권 씨를 돌려보낸 후 '나'는 전세 보증금을 떠올리고는 권 씨 아내의 수술비를 대신 내 준다.

제시 장면 줄거리

그날 밤, '나'의 집에는 강도가 들고, 강도의 어설픈 행동에 '나'는 강도가 권 씨임을 알아챈다. '나'에게 정체를 들키자 권 씨는 자신이 1 ______ 나온 사람이라 말하며 집을 나간다. 결국 권 씨는 아홉 켤레의 2 ______ 만 남기고 행방불명된다.

오엑스 확인 문제

01 이 글에 대한 설명으로 맞으면 ○표, 틀리면 ×표를 하시오.

- 인물: 이 글의 주인공은 권 씨이다. ( )
- 사건: '나'의 집에 강도가 들어 큰돈을 훔쳐 간다. ( )
- 배경: 권 씨는 대문 옆 문간방에 산다. ( )
- 소재: 권 씨가 강도가 된 이유는 아내의 '수술 보증금' 때문이다. ( )

02 이 글을 통해 짐작할 수 있는 내용으로 적절하지 않은 것은?

① '나'는 권 씨가 세 든 전셋집의 집주인이다.
② '나'는 아내와 상의하지 않고 권 씨 아내의 수술비를 대신 내 주었다.
③ 권 씨는 금품을 훔치려던 계획이 실패한 후 집에 돌아오지 않고 있다.
④ 권 씨는 이웃에게 상처받은 일로 인해 사람에 대한 불신을 가지고 있다.
⑤ '나'는 권 씨에게 빌려준 수술 보증금을 권 씨 방의 물건들로 대신 받고자 한다.

03 보기의 밑줄 친 '이 말'이 가리키는 문장을 #2에서 찾아 쓰시오.

보기

권 씨는 자신이 강도로 '나'의 집에 들어왔다는 사실을 잊고 문간방으로 들어가려고 한다. '나'는 권 씨가 문간방에 들어가면 자신의 정체를 스스로 노출하는 일이 되기에 이 말을 하여 권 씨가 문간방으로 들어가지 않게 한다.

____

04 '나'와 '강도'에 대한 설명으로 적절하지 않은 것은?

① 강도는 강도짓을 하기에는 순박하고 소심한 성격이다.
② 강도는 강도짓을 할 용기를 얻기 위해 술을 잔뜩 마셨다.
③ '나'는 강도가 사람을 해칠지도 모른다는 생각에 두려워한다.
④ '나'는 강도의 어설픈 행동에 강도를 배려하는 행동을 보인다.
⑤ '나'는 복면 위로 드러난 강도의 눈을 보고 누구인지 알아챘다.

05 '권 씨'가 '나'에게 다음과 같이 말한 까닭으로 가장 적절한 것은?

> "이래 봬도 나 대학까지 나온 사람이오."

① 자신의 정체를 끝까지 숨기고 싶어서
② 자신에 대한 오해를 바로잡고 싶어서
③ 자신이 배운 사람임을 강조하고 싶어서
④ 자신의 잘못을 '나'에게 용서받고 싶어서
⑤ 자신의 처지를 몰라 주는 '나'가 원망스러워서

06 '권 씨'가 행방불명된 이유로 가장 적절한 것은?

① '나'에 대한 미안함과 죄책감 때문에
② 지금까지와는 다른 삶을 살고 싶었기 때문에
③ 자신은 살아갈 가치가 없다고 여겼기 때문에
④ 아내의 수술비를 아직 마련하지 못했기 때문에
⑤ 자신을 동정하는 '나'의 태도에 자존심에 상처를 입었기 때문에

07 '구두'에 대한 설명으로 적절하지 않은 것은?

① 권 씨의 구두는 모두 열 켤레이다.
② 권 씨의 마지막 남은 자존심을 의미한다.
③ 먼지를 덮어쓴 구두는 '나' 때문에 상처 받은 권 씨의 상태를 의미한다.
④ 권 씨가 신고 나간 한 켤레의 구두는 집을 나간 후 돌아오지 않는 권 씨를 의미한다.
⑤ 구두가 가장 값나가는 세간 자리에 있는 것은 권 씨가 구두를 소중하게 여겼음을 의미한다.

08 보기를 참고하여 이 글을 감상한 내용으로 적절하지 않은 것은?

> **보기** 「아홉 켤레의 구두로 남은 사내」는 1977년에 발표되었다. 이 소설은 1971년 서울의 무허가 판자촌 주민을 경기도 광주군 중부면(현재의 성남시 수정구·중원구)으로 강제 이주시키는 과정에서 일어난 도시 빈민들의 시위 사건을 다루고 있다. 1970년대 도시화·산업화 과정에서 소외된 소시민의 삶을 형상화함으로써 당시 우리 사회의 부조리와 모순을 지적하고 있다.

① 권 씨는 산업화 과정에 속하지 못하고 소외된 소시민으로 볼 수 있겠군.
② 권 씨의 형편없는 세간으로 보아 도시 빈민의 힘겨운 삶을 알 수 있겠군.
③ 권 씨에게 아무 도움을 주지 않는 '나'는 소외된 이웃을 외면하던 계층으로 보아야겠군.
④ 강도가 될 수밖에 없었던 권 씨의 상황을 통해 우리 사회의 부조리를 지적하는 것이겠군.
⑤ 이 글의 배경은 도시화와 산업화가 진행되던 1970년대의 사회 상황을 보여 주는 것이겠군.

8문제 중에 ______문제 맞혔어!

03

성탄제

김종길

시어 붉은 산수유 열매

아들의 약으로 쓰기 위해 아버지가 눈 속을 헤치고 구해 온 것으로, 아버지의 사랑과 정성을 뜻함.

시어 눈

어른이 된 화자가 어린 시절의 경험을 떠올리게 함.

표현 전반부와 후반부의 대칭

시의 전반부는 화자의 어린 시절의 경험을, 후반부는 어른이 된 화자의 현재 모습을 표현함.

화자 어른이 된 '나'

어린 시절 기억 속에 남아 있는 아버지의 사랑을 떠올리며 그리워함.

읽기 포인트» 이 시의 화자는 어린 시절을 떠올리고 있다. 화자가 과거를 떠올리게 만든 소재는 무엇이며, 화자가 떠올린 어린 시절의 분위기는 어떠한지 파악하며 읽어 보자.

✩어두운 방 안엔
바알간 숯불이 피고,

외로이 늙으신 할머니가
애처로이 잦아드는 어린 목숨을 지키고 계시었다.

이윽고 눈 속을
아버지가 약을 가지고 돌아오시었다.

아, 아버지가 ✩눈을 헤치고 따 오신
그 붉은 산수유 열매 —.

나는 한 마리 어린 짐승,
젊은 아버지의 ✩서느런 옷자락에
열로 상기한 볼을 말없이 부비는 것이었다.

이따금 뒷문을 ✩눈이 치고 있었다.
그날 밤이 어쩌면 성탄제의 밤이었을지도 모른다.

어느새 나도
그때의 아버지만큼 나이를 먹었다.

옛것이라곤 찾아볼 길 없는
성탄제 가까운 도시에는
이제 반가운 그 옛날의 것이 내리는데,

서러운 서른 살, 나의 이마에
불현듯 아버지의 서느런 옷자락을 느끼는 것은,

눈 속에 따 오신 산수유 붉은 알알이
아직도 내 혈액 속에 녹아 흐르는 까닭일까.

핵심 태그

어린 시절 열병으로 앓아누운 '나'를 위해 **1** # ______ 열매를 따 오신 아버지

아버지만큼 나이를 먹은 현재의 '나'가 느끼는 **2** # ______ 의 사랑

★ 별별 포인트 ★

< 심상의 대비 >

✩시각적 심상

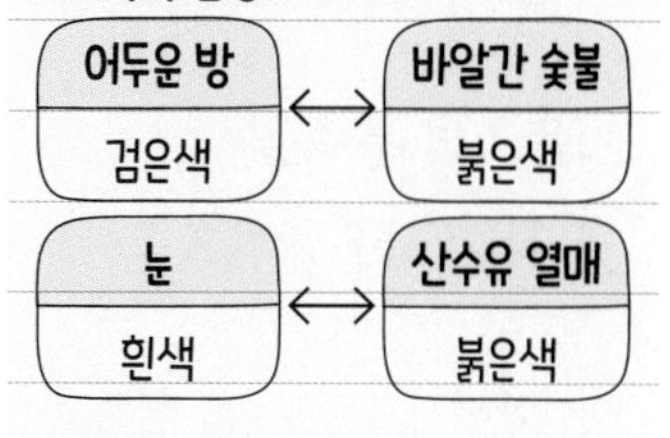

✩촉각적 심상

서느런 옷자락	↔	열로 상기한 볼
차가움		뜨거움

★ 별별 포인트 ★

< 전반부와 후반부의 대칭 구조 >

과거(시골)
어린 시절 화자가 느꼈던 아버지의 사랑

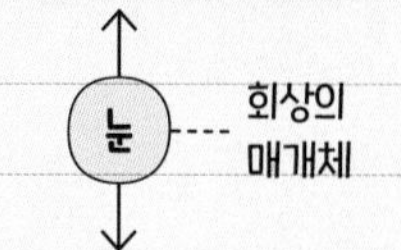

현재(도시)
헌신적인 사랑을 찾아볼 수 없는 삭막한 도시의 현실

[01~08] 다음 시를 읽고 물음에 답하시오.

어두운 방 안엔
㉠바알간 숯불이 피고,

외로이 늙으신 할머니가
애처로이 잦아드는 어린 목숨을 지키고 계시었다.

이윽고 ⓐ눈 속을
아버지가 약을 가지고 돌아오시었다.

아, 아버지가 ⓑ눈을 헤치고 따 오신
그 ㉡붉은 산수유 열매 —.

나는 한 마리 어린 짐승,
젊은 아버지의 ㉢서느런 옷자락에
열로 상기한 볼을 말없이 부비는 것이었다.

이따금 뒷문을 ⓒ눈이 치고 있었다.
그날 밤이 어쩌면 성탄제의 밤이었을지도 모른다. [A]

어느새 나도
그때의 아버지만큼 나이를 먹었다.

㉣옛것이라곤 찾아볼 길 없는
성탄제 가까운 도시에는
이제 ⓓ반가운 그 옛날의 것이 내리는데,

서러운 서른 살, 나의 이마에
불현듯 아버지의 서느런 옷자락을 느끼는 것은,

ⓔ눈 속에 따 오신 산수유 붉은 알알이
아직도 ㉤내 혈액 속에 녹아 흐르는 까닭일까. [B]

오엑스 확인 문제

01 이 시에 대한 설명으로 맞으면 ○표, 틀리면 ×표를 하시오.

화자	화자는 어린 시절을 떠올리고 있다.	
시어	'그 옛날의 것'은 '붉은 산수유 열매'를 가리킨다.	
표현	이 시에는 후각적 심상이 주로 나타난다.	
배경	이 시의 계절적 배경은 겨울이다.	

02 이 시에 나타난 화자의 경험으로 적절한 것은?

① 아버지와 함께 산수유 열매를 땄던 일
② 할머니가 산수유 열매로 만들어 주신 약을 먹었던 일
③ 어린 시절 부모님과 함께 행복하게 성탄제를 보냈던 일
④ 아픈 자신을 위해 아버지가 산수유 열매를 구해 오셨던 일
⑤ 아버지가 아픈 자신을 업고 눈을 헤치며 병원에 뛰어가셨던 일

별별 포인트

03 각 연에서 심상이 대비되는 시구끼리 연결한 것으로 적절하지 않은 것은?

① 1연: 어두운 방 ↔ 바알간 숯불
② 2연: 늙으신 할머니 ↔ 어린 목숨
③ 4연: 눈 ↔ 붉은 산수유 열매
④ 5연: 서느런 옷자락 ↔ 열로 상기한 볼
⑤ 10연: 눈 ↔ 혈액

별별 포인트

04 [A]와 [B]를 비교한 내용으로 적절하지 않은 것은?

	[A]	[B]
①	과거	현재
②	시골	도시
③	회상	현실
④	아버지의 사랑	어머니의 사랑
⑤	어린 시절의 화자	어른이 된 화자

05 '눈'의 속성을 정리한 보기를 참고할 때, ⓐ~ⓔ에 대한 이해로 적절하지 않은 것은?

보기

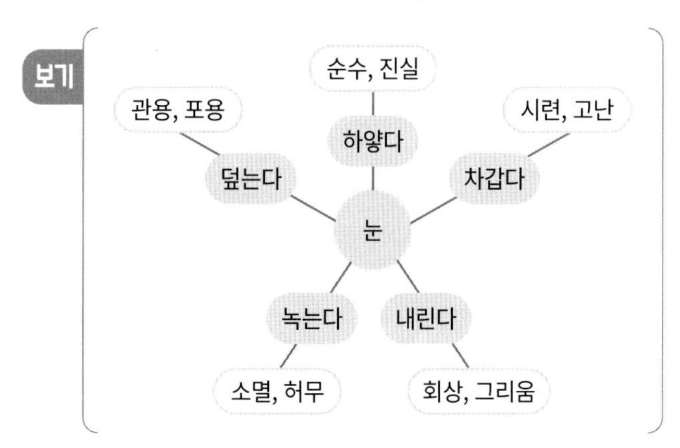

① ⓐ와 ⓑ는 아버지에게는 시련과 고난의 상황을 뜻한다.
② ⓐ와 ⓑ는 결국 아버지의 헌신적 사랑을 부각하고 있다.
③ ⓒ는 화자가 어린 시절을 떠올리게 하는 매개체 역할을 하고 있다.
④ ⓓ는 화자가 지난날을 그리워하고 있음을 알려 주고 있다.
⑤ ⓔ는 인정이 메말라 버린 현실에 대한 허무함을 드러내고 있다.

06 ㉠~㉤에 대한 설명으로 적절하지 않은 것은?

① ㉠: 생명을 지키는 따뜻한 이미지를 나타낸다.
② ㉡: 약으로서의 생명력과 아버지의 사랑을 의미한다.
③ ㉢: 죽음을 앞둔 우울한 분위기를 상징한다.
④ ㉣: 문명에 대한 비판적 시각을 드러낸다.
⑤ ㉤: 아버지의 사랑을 그리워하는 마음을 보여 준다.

07 서러운 서른 살에 쓰인 표현 방법으로 가장 적절한 것은?

① 앞말을 반복하여 의미를 강조한다.
② 말의 순서를 바꾸어 단조로움을 없앤다.
③ 비슷한 소리를 반복하여 운율을 형성한다.
④ 대조적인 시어를 사용하여 주제를 부각한다.
⑤ 시각적 심상을 사용하여 대상을 선명하게 표현한다.

08 이 시의 제목인 '성탄제'에 대해 이해한 내용으로 가장 적절한 것은?

① 지난날을 잊고 새해를 맞는 설렘을 담고 있군.
② 어린아이들이 즐겁게 뛰노는 분위기를 나타내고 있군.
③ 어려운 이웃을 돕는 일의 중요성을 깨닫게 하고 있군.
④ 실패를 딛고 나아가는 희망찬 미래를 떠올리게 하고 있군.
⑤ 아버지의 사랑을 헌신적이고 숭고한 이미지로 승화시키고 있군.

8문제 중에 ________ 문제 맞혔어!

04 풀

김수영

시어 동풍, 바람

풀이 부딪치는 시련. 당시 시대적 상황을 고려할 때, 민중을 억압하는 '부당한 권력'을 상징함.

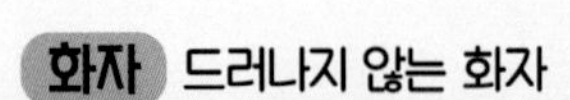

대립

화자 드러나지 않는 화자

표현 반복과 대구

풀이 눕고 일어나는 모습을 반복법과 대구법을 사용하여 운율을 형성함. 또한 풀의 역동적인 모습을 강조하여 풀이 지닌 강인한 생명력을 보여 줌.

시어 풀

약해 보이지만 강인한 생명력을 지닌 존재. 당시 시대적 상황을 고려할 때, '민중'을 상징함.

읽기 포인트» 이 시는 '바람'에 이리저리 흔들리지만 결국 다시 일어나는 '풀'의 모습을 보여 주고 있다. 자연물의 대립적인 속성을 통해 화자가 말하고자 하는 바가 무엇인지 파악하며 읽어 보자.

풀이 눕는다
비를 몰아오는 동풍에 나부껴
풀은 눕고
드디어 울었다
날이 흐려서 더 울다가
다시 누웠다

풀이 눕는다
바람보다도 더 빨리 눕는다
바람보다도 더 빨리 울고
바람보다 먼저 일어난다

날이 흐리고 풀이 눕는다
발목까지
발밑까지 눕는다
바람보다 늦게 누워도
바람보다 먼저 일어나고
바람보다 늦게 울어도
바람보다 먼저 웃는다
날이 흐리고 풀뿌리가 눕는다

핵심 태그

비를 몰아오는 ❶ # ______ 에 눕고 우는 풀

❷ # ______ 보다도 더 빨리 눕고, 더 빨리 울고, 먼저 일어나는 풀

바람보다 늦게 누워도 먼저 일어나고, 늦게 울어도 먼저 웃는 ❸ # ______

★ 별별 포인트 ★

〈 '풀'과 '바람'의 의미 〉

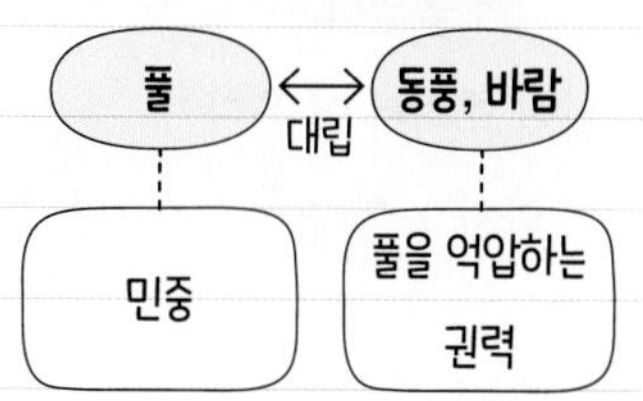

→ 바람이 불어도 끊임없이 일어나는 풀의 모습을 통해 민중의 끈질긴 생명력을 형상화함.

★ 별별 포인트 ★

〈 '풀'의 태도 변화 〉

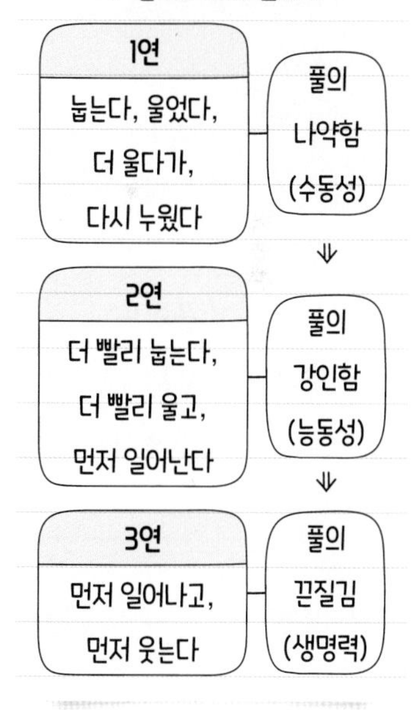

[01~08] 다음 시를 읽고 물음에 답하시오.

풀이 눕는다
ⓐ비를 몰아오는 동풍에 나부껴
풀은 눕고
드디어 울었다 ㉠
날이 흐려서 더 울다가
ⓑ다시 누웠다

풀이 눕는다
바람보다도 더 빨리 눕는다
바람보다도 더 빨리 울고
ⓒ바람보다 먼저 일어난다

날이 흐리고 풀이 눕는다
발목까지
ⓓ발밑까지 눕는다
바람보다 늦게 누워도
ⓔ바람보다 먼저 일어나고
바람보다 늦게 울어도
바람보다 먼저 웃는다
㉡날이 흐리고 풀뿌리가 눕는다

오엑스 확인 문제

01 **이 시에 대한 설명으로 맞으면 ○표, 틀리면 ×표를 하시오.**

화자	이 시의 화자는 '풀'이다.	( )
시어	'풀'과 '바람'은 대립적 시어이다.	( )
표현	'풀이 눕는다', '바람보다 먼저'라는 시구가 반복된다.	( )

02 **이 시에 대한 설명으로 적절하지 않은 것은?**

① 자연물에 대립적인 속성을 부여하여 주제를 드러내고 있다.
② 문장 구조가 짝을 이루는 대구를 사용하여 리듬감을 주고 있다.
③ 각 연의 첫 행에서 같은 시구를 반복하여 운율을 형성하고 있다.
④ 소리와 모양을 흉내 낸 말을 사용하여 대상을 생생하게 표현하고 있다.
⑤ 1연에서는 과거의 일을 말하다가 2연과 3연에서는 현재 일어나고 있는 일로 말하고 있다.

별별 포인트

03 **'풀'과 '바람'이 의미하는 바로 가장 적절한 것은?**

	풀	바람
①	자연	'풀'을 파괴하는 인간
②	민중	'풀'을 억압하는 권력
③	무기력한 현대인	'풀'에 활력을 주는 존재
④	삶에 지친 사람들	'풀'에 위로를 주는 존재
⑤	우유부단한 사람	'풀'을 유혹하는 주변 상황

04 ‘풀’의 행동에서 느껴지는 속성이 나머지와 <u>다른</u> 것은?

① 눕는다　② 울었다
③ 더 울다가　④ 다시 누웠다
⑤ 더 빨리 울고

별별 포인트

05 이 시를 보기와 같은 구조로 정리할 때, A와 B에 대한 설명으로 적절하지 <u>않은</u> 것은?

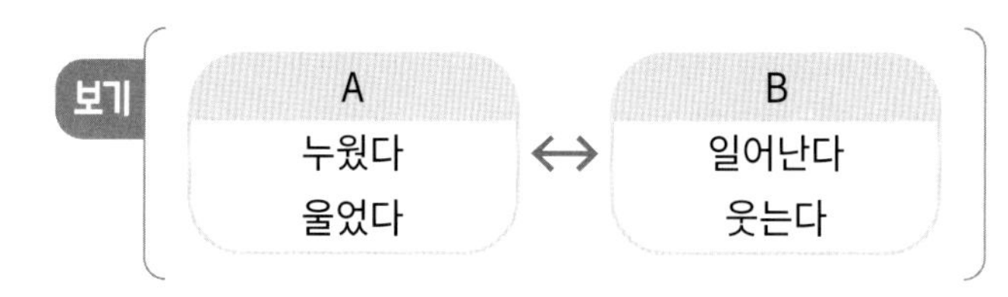

① A는 풀의 수동성을 나타낸다.
② B는 풀의 능동성을 나타낸다.
③ A에서 B로의 변화를 통해 주제를 강조한다.
④ A와 B가 반복되어 풀의 혼란스러움을 나타낸다.
⑤ A와 B의 반복으로 풀의 역동적인 움직임을 효과적으로 표현한다.

06 ㉠과 ㉡에 대한 설명으로 적절하지 <u>않은</u> 것은?

① ㉠에는 ‘풀’의 나약한 모습이 부각되어 있다.
② ㉡에서는 ‘풀’이 시련을 극복하지 못하고 굴복했음이 나타나 있다.
③ ㉠과 ㉡에서는 둘 다 ‘풀’이 바람에 시달리고 있다.
④ ㉠에 비해 ㉡에서는 풀의 끈질긴 생명력이 두드러지고 있다.
⑤ ㉡에서 ‘풀뿌리’가 누운 것으로 보아, ㉠보다 억압의 강도가 심해졌음을 알 수 있다.

07 ⓐ~ⓔ에 대한 설명으로 적절하지 <u>않은</u> 것은?

① ⓐ: 풀을 억압하는 사회적 힘을 나타낸다.
② ⓑ: 풀의 수난이 반복되고 있음을 나타낸다.
③ ⓒ: 풀의 태도 변화를 드러낸다.
④ ⓓ: 풀이 처한 상황이 나아지고 있음을 나타낸다.
⑤ ⓔ: 풀의 의연한 태도를 드러낸다.

08 보기를 참고하여 이 시를 감상한 내용으로 적절하지 <u>않은</u> 것은?

> 보기
> 이 시는 1960년대에 쓰인 대표적인 참여시로 알려져 있지만, 읽는 사람의 시각에 따라 다른 해석도 가능하다. 날씨와 바람의 변화 속에서 울고 웃는, 눕고 일어서는 풀의 움직임을 인간 내면의 근원적 갈등으로 볼 수도 있고, 시련과 장애를 만나 방황하는 모습으로 볼 수도 있다.

① ‘풀’의 움직임은 인간 내면의 고뇌로 볼 수 있겠어.
② ‘동풍’과 ‘바람’은 인간에게 닥친 시련으로 볼 수 있겠어.
③ ‘날이 흐려서’ 역시 인간에게 닥친 고난이나 암울한 현실을 의미한다고 볼 수 있겠어.
④ ‘바람보다 먼저 웃는다’는 시련이 오더라도 좌절하지 않고 의연하게 대처하는 모습이라고 볼 수 있겠어.
⑤ ‘풀뿌리가 눕는다’는 인간의 근원적 갈등을 해소할 수 없다는 인간의 한계를 드러낸 것이라고 볼 수 있겠어.

05 결혼

이강백

소재 남자가 빌린 물건 (넥타이, 구두 등)

'남자'가 결혼을 하기 위해 부자처럼 보이려고 저택과 옷 등을 빌림. 이 물건들은 시간이 지나면 되돌려 주어야 함.

인물 하인

보조적 인물. 일정한 시간이 되면 '남자'가 빌린 물건들을 가져감. '남자'가 저택에서 떠날 시간이 되자 큰 구두 한 짝을 신고 '남자'를 걷어참.

인물 남자

사기꾼이자 빈털터리. 부자처럼 꾸미고 맞선에 나가지만 '여자'와 이야기하면서 소유의 본질을 깨닫고 진심으로 '여자'를 사랑하게 됨.

인물 여자

부자와 결혼하려고 맞선에 나오지만, '남자'의 진심어린 고백에 '남자'가 빈털터리임을 알고도 결혼하기로 함.

소재 엄청나게 큰 구두 한 짝

읽기 포인트 » '하인'의 위협을 받으면서도 '남자'는 진심을 다해 여자를 설득하고, '여자'는 '남자'의 말을 듣고 결국 청혼을 받아들인다. '여자'가 '남자'의 청혼을 승낙한 까닭을 생각하며 읽어 보자.

#1 여자 넥타이를…….

남자 그것엔 관심 없습니다.

여자 왜 빼앗기셨죠? (옆에 와 부동자세로 서 있는 하인을 훔쳐보며) 그것도 난폭하게.

부동자세: 움직이지 않고 똑바로 서 있는 자세.
난폭하게: 행동이 몹시 거칠고 사납게.

남자 그렇지요. 난폭하게 주인을 덮치는 그런 하인에겐 난 전혀 관심 없어요. 오히려 당신 어머니의 성품이 너그러우신지…….

여자 하지만요, 저는……. (입을 다물어 버린다.)

남자 알았어요. 문제는 빼앗긴 물건인가 본데, 그야 되돌려 받기 어렵지는 않습니다. (하인에게 큰 소리로) 여봐, 가져와! (묵묵부답인 하인. 까치발을 딛고 일어나서 그의 귀에 속삭인다.) 여봐! 그 가져간 것 오 분만 더 빌려주게.

묵묵부답: 잠자코 아무 대답도 하지 않음.

하인 (대답이 없다.)

남자 딱 오 분만 더. 사정해도 안 되겠나, 응?

하인 (반응이 없다.)

남자 좋아, 좋다고.

여자 뭐래요, 하인이?

남자 네, 나더러 잘해 보라고 그럽니다.

남자, 관객석을 투덕투덕 걸어 다니다가 넥타이를 맨 남성 관객 앞에 앉는다.

남자 물론 그래요. (속상하다는 듯이) 저 인정사정도 없는 하인이 나더러 잘해 보라고 그런 말 한마디 하진 않았어요. 하지만 말입니다, 나도 그래요, 기죽을 필요야 없는 겁니다. 그렇잖아요? 도대체 지가 뭐라고 겨우 심부름이나 하는 주제에……. 속 좀 상합니다만, 그야 뭐 그건 당신에게도 마찬가지니까 말해 보나 마나겠고……. 저어, 당신 넥타이 참 좋습니다. 정말 좋아요. 아름다운 색깔, 기막히게 멋진 무늬, 딱 오 분만 빌립시다. 정확하게 오 분만. 더 이상은 어기지 않겠습니다. 빌려주시렵니까? ✯(남성 관객으로부터 넥타이를 빌려 착용하며) 고맙습니다. 빌린 동안에는 소중히 다룰 겁니다. 사실 이건 내 것이 아니라 당신 것인데……. 혹시 모르긴 하지요, 당신도 누구에게서 빌려 온 건지는. 아무튼 잘 사용하고 돌려 드리겠어요. 자아, 그럼 당신은 시간을 재고, 난 이만. 〈중략〉

✶ 별별 포인트 ✶

< 관객의 참여와 그 효과 >

'남자'가 관객에게 말을 걸어 넥타이를 빌리고, 빌린 시간을 재도록 함.

↓

효과

- 관객의 극 중 참여와 몰입을 유도함.
- 관객이 친밀감을 느끼게 하고, 배우와 관객의 경계를 허묾.
- 주제를 효과적으로 전달함.

#1 핵심 태그

'하인'이 넥타이를 빼앗아 가자 관객에게 가서 # 를 빌리는 '남자'

#2 하인, 남자에게 봉투를 하나 내민다.

남자는 봉투에서 쪽지를 꺼내 읽더니 아무 말없이 여자에게 건네준다.

여자 "나가라!" 나가라가 뭐예요?

남자 네. 주인으로부터 온 경고문입니다. 시간이 다 지났으니 나가라는 거지요.

여자 나가라……. 그럼 당신 것이 아니었어요?

남자 내 것이라곤 없습니다. / 여자 (충격을 받는다.)

남자 모두 빌린 것들뿐이었지요. 저기 두둥실 떠 있는 달님도, 저 은빛의 구름도, 이 하늬바람도, 그리고 어쩌면 여기 있는 나마저도, 또 당신마저도……. (미소를 짓고) 잠시 빌린 겁니다.

하늬바람: 서쪽에서 부는 바람.

여자 잠시 빌렸다고요?

남자 네. 그렇습니다.

하인, 엄청나게 큰 구두 한 짝을 가져오더니 주저앉아 자기 발에 신는다. 그 구둣발로 차 낼 듯한 험악한 분위기가 조성된다.

험악한: 일이 되어 가는 형편이 매우 나쁜.

남자 결혼해 주십시오. 당신을 빌린 동안에 오직 사랑만을 하겠습니다.

여자 ……. 아, 어쩌면 좋아?

하인, 구두를 거의 다 신는다.

★별별 포인트★

< '엄청나게 큰 구두 한 짝'의 역할 >

'하인'이 엄청나게 큰 구두 한 짝을 가져와 신음.

↓

구둣발로 '남자'를 차 낼 듯한 험악한 분위기를 조성함.

- '남자'가 빌린 저택에서 나가야 할 시간임을 알려 줌.
- '하인'의 행동을 통해 극의 긴장감을 고조시킴.

여자 맹세는요, 맹세는 어떻게 하죠? 어머니께 오른손을 든…….

남자 글쎄 그건……. (탁상 위의 사진들을 쓸어 모아 여자에게 주면서) 이것을 보여 드립시다. 시간이 가고 남자에게 남는 건 사랑이라면, 여자에게 남는 것은 무엇이겠습니까? 그건 사진 석 장입니다. 젊을 때 한 장, 그다음에 한 장, 늙고 나서 한 장. 당신 어머니도 이해하실 겁니다.

여자 이해 못 하실 걸요, 어머닌. (천천히 슬프고 낙담해서 사진들을 핸드백 속에 담는다.) 오늘 즐거웠어요. 정말이에요……. 그럼, 안녕히 계세요.

낙담해서: 바라던 일이 뜻대로 되지 않아 마음이 몹시 상해서.

여자, 작별 인사를 하고 문 앞까지 걸어 나간다.

#2 핵심 태그

'남자'가 빈털터리라는 사실을 알게 되자, # 인사를 하고 떠나려는 '여자'

#3 남자 잠깐만요, 덤…….

덤: 제 값어치 위에 거저로 조금 더 얹어 주는 물건.

여자 (멈칫 선다. 그러나 얼굴은 남자를 외면한다.)

외면한다: 마주치기를 꺼려 얼굴을 돌린다.

남자 가시는 겁니까, 나를 두고서? / 여자 (침묵)

남자 덤으로 내 말을 조금 더 들어 봐요.

여자 (악의적인 느낌이 없이) 당신은 사기꾼이에요.
일부러 나쁜 마음을 먹는 것.

남자 그래요, 난 사기꾼입니다. 이 세상 것을 잠시 빌렸었죠. 그리고 시간이 되니까 하나둘씩 되돌려 주어야 했습니다. 이제 난 본색이 드러나고 이렇게 빈털터리입니다. 그러나 덤, ✫여기 있는 사람들에게 물어봐요. 누구 하나 자신 있게 이건 내 것이다, 말할 수 있는가를. 아무도 없을 겁니다. 없다니까요. 모두들 덤으로 빌렸지요. 눈동자, 코, 입술, 그 어느 것 하나 자기 것이 아니고 잠시 빌려 가진 거예요. (누구든 관객석의 사람을 붙들고 그가 가지고 있는 물건을 가리키며) 이게 당신 겁니까? 정해진 시간이 얼마지요? 잘 아꼈다가 그 시간이 되면 꼭 돌려주십시오. 덤, 이젠 알겠어요?
아무것도 가진 것이 없는 가난뱅이.

여자, 얼굴을 외면한 채 걸어 나간다.

하인, 서서히 그 무서운 구둣발을 이끌고 남자에게 다가온다. 남자는 뒷걸음질을 친다. 그는 마지막으로 절규하듯이 여자에게 말한다.
있는 힘을 다하여 절절하고 애타게 부르짖듯이.

남자 덤, 난 가진 것 하나 없습니다. 모두 빌렸던 겁니다. 그런데 덤, 당신은 어떻습니까? 당신이 가진 건 뭡니까? 무엇이 정말 당신 겁니까? (넥타이를 빌렸던 남성 관객에게) 내 말을 들어 보시오. 그럼 당신은 나를 이해할 거요. 내가 당신에게서 넥타이를 빌렸을 때, 그때 내가 당신 물건을 어떻게 다뤘었소? 마구 험하게 했었소? 어딜 망가뜨렸소? 아니요, 그렇진 않았습니다. 오히려 빌렸던 것이니까 소중하게 아꼈다간 되돌려 드렸지요. 덤, 당신은 내 말을 들었어요? 여기 증인이 있습니다. 이 증인 앞에서 약속하지만, ✫내가 이 세상에서 덤 당신을 빌리는 동안에, 아끼고, 사랑하고, 그랬다가 언젠가 그 시간이 되면 공손하게 되돌려 줄 테요. 덤! 내 인생에서 당신은 나의 소중한 덤입니다. 덤! 덤! 덤!

★ 별별 포인트 ★

〈 '남자'의 설득 내용 〉

'소유'의 본질	모든 것은 빌린 것이므로 영원히 소유할 수 없음.
진정한 '사랑'	사랑하는 사람을 빌리는 동안 아끼고 사랑할 것임.

⇒ '남자'의 말을 듣고 '여자' 역시 소유의 본질과 진정한 사랑의 가치를 깨닫게 되어 '남자'의 청혼을 수락함.

#3 핵심 태그

'여자'를 '# 　　　　'이라고 부르며 '여자'를 헌신적으로 사랑하겠다고 설득하는 '남자'

#4 남자, 하인의 구둣발에 걷어챈다.

여자, 더 이상 참을 수 없다는 듯 다급하게 되돌아와서 남자를 부축해 일으키고 포옹한다.

여자 그만해요! / 남자 이제야 날 사랑합니까?

여자 그래요! 당신 아니고 또 누굴 사랑하겠어요!

남자 어서 결혼하러 갑시다. 구둣발에 차이기 전에!

여자 이래서요, 어머니도 말짱한 사기꾼과 결혼했었다던데…….

남자 자아, 빨리 갑시다! / 여자 네, 어서 가요!

#4 핵심 태그

'여자'는 결국 '남자'의 청혼을 받아들이고, '남자'와 '여자'는 # 　　　　 을 하러 감

앞부분 줄거리

'남자'가 등장하여 한 사기꾼의 이야기가 쓰인 이야기책을 관객 앞에서 낭독한다. 이야기책 속의 사기꾼은 외로움에 지쳐 결혼하고 싶지만 빈털터리이다. 그는 부자로 보이도록 최고급 저택, 구두, 모자와 넥타이, 라이터 등의 소지품, 호사스러운 의복, 하인까지 빌린다. 그러나 빌린 물건은 제각기 정해진 시간 동안에만 사용할 수 있다는 조건이 붙는다.

'남자'가 이야기 속의 사기꾼이 되어 맞선을 보기로 한다. '남자'는 맞선에 나온 아름다운 '여자'를 보자마자 청혼하고, '여자'는 갑작스러운 청혼에 놀란다.

제시 장면 줄거리

'하인'은 '남자'에게서 넥타이를 빼앗아 간다. '남자'는 관객에게 1 ☐☐☐를 잠시 빌린다.

중략 부분 줄거리

'남자'는 '여자'의 별명인 '덤' 이야기를 들으며 소유의 본질을 깨닫고 '여자'를 진심으로 사랑하게 된다. '남자'와 '여자'는 사진 놀이를 하며 더욱 가까워지고 그러는 중에도 '하인'은 계속해서 '남자'에게서 그가 빌렸던 물건을 빼앗아 간다. '남자'는 '여자'에게 진심을 담아 다시 청혼한다.

제시 장면 줄거리

'남자'가 '여자'에게 자신이 빈털터리임을 고백하자 '여자'는 그의 곁을 떠나려고 한다. '남자'는 떠나려는 '여자'를 붙잡으며 진심을 다해 '여자'를 설득한다. '여자'는 결국 '남자'의 2 ☐☐을 받아들이고, 둘은 결혼을 하러 간다.

오엑스 확인 문제

01 이 글에 대한 설명으로 맞으면 ○표, 틀리면 ×표를 하시오.

- 인물: '남자'는 부자이다. ( )
- 사건: '여자'는 '남자'의 청혼을 받아들인다. ( )
- 배경: 맞선 장소는 '남자'의 집이다. ( )
- 소재: '남자'는 '하인'에게 '넥타이'를 빌린다. ( )

02 '남자'에 대한 설명으로 적절하지 않은 것은?

① 관객석으로 들어가 관객에게 직접 말을 건다.
② 관객에게 빌린 물건을 소중히 사용하고 돌려준다.
③ 자신이 빈털터리라는 사실을 '여자'에게 끝까지 숨긴다.
④ '여자'를 진심으로 사랑하게 되어 떠나려는 '여자'를 붙잡는다.
⑤ 물건을 빌리는 시간을 늘리려고 '하인'에게 사정하지만 거절당한다.

별별 포인트

03 보기에 해당하는 소재로 적절한 것은?

보기
- '남자'를 쫓아내기 위한 도구로 험악한 분위기를 조성하는 소재
- 극적 긴장감이 최고조에 이르게 하는 소재

① 봉투　② 핸드백
③ 경고문　④ 탁상 위의 사진들
⑤ 엄청나게 큰 구두 한 짝

[04~05] 다음을 읽고 물음에 답하시오.

작가 노트

이 작품은 응접실 또는 아담한 소극장 같은 곳, 그런 실내에서 공연하기 알맞도록 썼다. 무대를 따로 만들 필요도 있지 않고 별다른 조명이나 효과의 도움을 받지 않아도 된다. 그러나 절대적으로 필요한 것은 ㉠그 장소에 모인 사람들이다. 이 연극의 등장인물, 하인은 그들로부터 잠시 모자라든가 구두, 넥타이 등을 빌려야 한다. 이 빌린 물건들을 단순히 소도구로 응용하기 위해서만이 아니다. 이 작품을 검토하면 알겠으나, 이 ㉡잠시 빌렸다가 되돌려 준다는 것엔 더 깊은 의미가 있고 이 연극에 있어 중대한 역할을 차지하게 된다.

04 ㉠에 대한 설명으로 가장 적절한 것은?

① 이 극의 등장인물로 미리 섭외된 배우이다.
② '하인'을 도와 극의 내용을 관객에게 전달한다.
③ 등장인물과 대화를 나눔으로써 극의 흐름을 바꾼다.
④ '남자'의 물건을 빼앗아 감으로써 극의 갈등을 고조시킨다.
⑤ '남자'에게 넥타이를 빌려 줌으로써 극 중에 직접 참여한다.

05 ㉡과 관련된 이 글의 주제 의식으로 가장 적절한 것은?

① 결혼에서 중요한 것은 물질적인 조건이다.
② 물건은 빌릴 수 있지만 사랑은 빌릴 수 없다.
③ 현실에서 진정한 사랑을 만나는 일은 어렵다.
④ 남의 물건을 빌릴 때는 대가를 지불해야 한다.
⑤ 모든 것은 빌린 것이므로 영원히 소유할 수 없다.

06 '하인'의 역할로 가장 적절한 것은?

① '남자'와 '여자'를 만나게 해 준다.
② 극의 주인공으로 사건을 이끌어 간다.
③ 관객에게 '남자'와 '여자'의 관계를 설명한다.
④ '여자'를 사이에 두고 '남자'의 질투심을 유발한다.
⑤ 정해진 시간이 되면 '남자'에게서 물건을 빼앗아 간다.

07 '여자'가 '남자'의 청혼을 받아들인 이유로 적절하지 않은 것은?

① '남자'의 진심 어린 말에 설득돼서
② '남자'가 말하는 소유의 의미에 공감해서
③ '남자'가 자신을 소중히 여기겠다고 해서
④ '남자'가 앞으로 부자가 될 거라고 믿어서
⑤ '여자'도 '남자'를 진정으로 사랑하게 돼서

08 다음은 #3의 '남자'의 대사이다. ⓐ가 가리키는 대상이 누구인지 쓰시오.

> 남자: … 덤, 당신은 내 말을 들었어요? 여기 ⓐ증인이 있습니다. 이 증인 앞에서 약속하지만, 내가 이 세상에서 덤 당신을 빌리는 동안에, 아끼고, 사랑하고, 그랬다가 언젠가 그 시간이 되면 공손하게 되돌려 줄 테요. …….

____

어휘로 마무리

01 흐르는 북 02 아홉 켤레의 구두로 남은 사내
03 성탄제 04 풀 05 결혼

01 다음 밑줄 친 어휘와 바꾸어 쓰기에 적절한 어휘를 찾아 연결하시오.

한줄 Hint
기본형으로 쓰인 어휘를 밑줄 친 말처럼 모양을 바꾼 다음 문장에 넣어서 읽어 본다.

(1) 그는 마지막으로 <u>절규하듯이</u> 여자에게 말한다. •

(2) 그리고 본의는 그게 아니었다 해도 결과적으로 내 방법이 매우 <u>졸렬했음도</u> 이제 확연히 밝혀진 셈이었다. •

(3) <u>고깝게</u> 듣지 마세요. 그때 가서 그 뜻을 알지언정, 지금부터 제 사고와 행동을 포기하고 싶지는 않습니다. •

• ㉠ 언짢다

• ㉡ 부르짖다

• ㉢ 좀스럽다

02 다음 밑줄 친 어휘와 바꾸어 쓰기에 적절한 것은?

한줄 Hint
'냉소'는 한자어로 '차가울 냉' 자와 '웃음 소' 자로 이루어진 어휘이다.

아버지의 입가에 <u>냉소가</u> 머물렀다.

① 눈웃음이 ② 헛웃음이 ③ 비웃음이
④ 함박웃음이 ⑤ 너털웃음이

03 다음은 어떤 행동이나 태도를 가리키는 말이다. 어휘의 초성을 보고 알맞은 어휘를 쓰시오.

한줄 Hint
(1) 말없이 잠잠하게 있는 경우를 보고 '묵묵하다'라고 한다. (2) '허겁지겁'과 유사한 의미의 어휘이다.

(1) 잠자코 아무 대답도 하지 않음. — ㅁ ㅁ ㅂ ㄷ

(2) 정신을 차릴 수 없을 만큼 갈팡질팡하며 다급하게 서두르는 모양. — ㅎ ㄷ ㅈ ㄷ

04 다음 빈칸에 공통으로 들어갈 어휘를 고르시오.

- 그는 현관에 벗어 놓은 구두를 신고 있었다. 그 구두를 보기 위해 전등을 켜고 싶은 충동이 [　　] 일었으나 나는 꾹 눌러 참았다.
- 서러운 서른 살, 나의 이마에 / [　　] 아버지의 서느런 옷자락을 느끼는 것은,

㉠ 선불리　　㉡ 함부로　　㉢ 불현듯

한줌 Hint

두 상황 다 갑자기 어떤 생각이 떠오르고 있을 때를 가리킨다.

05 다음 문장을 참고할 때, 단위를 나타내는 말로 '짝'을 쓰기에 적절한 것은?

하인, 엄청나게 큰 구두 한 짝을 가져오더니 주저앉아 자기 발에 신는다. 그 구둣발로 차 낼 듯한 험악한 분위기가 조성된다.

㉠ 젓가락 두 [　　] 을 식탁 위에 나란히 놓았다.
㉡ 이곳은 메말라 풀 한 [　　] 나지 않는 곳이다.
㉢ 독해 문제집을 하루에 몇 [　　] 씩 풀지 엄마와 정하였다.

한줌 Hint

'구두'는 왼쪽과 오른쪽의 두 개로 이루어져 있어서, 이를 한 벌로 셀 때에는 '구두 한 켤레'라고 한다.

06 다음 문장을 읽고, 둘 중 알맞은 어휘를 고르시오.

(1) 별다른 이상은 눈에 (띠지 / 띄지) 않았다.

(2) 이제 난 본색이 드러나고 이렇게 (빈털터리 / 빈털털이) 입니다.

(3) 식구들이 저녁을 마친 후에야 돌아온 성규를 사정없이 (몰아붙였다 / 몰아부쳤다).

한줌 Hint

(1)은 상황에 따라 구별해서 써야 할 말이고, (2)와 (3)은 소리 나는 대로가 아닌 어법에 맞게 써야 하는 말들이다.

관용어

07 다음 상황에서 밑줄 친 부분과 바꾸어 쓰기에 적절하지 않은 것은?

한줌 Hint

며느리가 민 노인의 행동이 못마땅하여 민 노인에게 다그치듯 묻고 있는 장면이다.

예사로운 말씨와는 달리, 굳어 있는 표정 위로는 낭패의 그늘이 좍 깔려 있었다. 금방 대답을 못 하고 엉거주춤한 형세로 며느리를 올려다보는 민 노인의 앞에서, 송 여사의 한숨 섞인 물음이 또 떨어졌다.

"북을 치셨다면서요."

"그랬다. 잘못했니?"

우선은 죄인 다루듯 하는 며느리의 따져 묻는 질문에 부아가 꾸역꾸역 치솟고, 소문이 빠르기도 하다는 놀라움이 그 뒤에 일었다.

㉠ 속이 끓고
㉡ 간이 떨어지고
㉢ 눈에 불이 나고

漢字 한자 성어

08 다음의 상황에서 '나'와 '강도'의 관계를 보여 주는 한자 성어로 가장 적절한 것은?

한줌 Hint

강도는 두려워서 어설프게 행동하고 있고, '나'는 이러한 강도의 모습을 애교스럽다고 생각하고 있다. 둘의 위치가 바뀐 것이다.

한 차례 길게 심호흡을 뽑은 다음 강도는 마침내 결심을 했다는 듯이 이부자리를 돌아 화장대 쪽으로 향했다. 얌전히 구두까지 벗고 양말 바람으로 들어온 강도의 발을 나는 그때 비로소 볼 수 있었다. 내가 그렇게 염려를 했는데도 강도는 와들와들 떨리는 다리를 옮기다가 그만 부주의하게 동준이의 발을 밟은 모양이었다. 동준이가 갑자기 칭얼거리자 그는 질겁을 하고 엎드리더니 녀석의 어깨를 토닥거리는 것이었다. 녀석이 도로 잠들기를 기다려 그는 복면 위로 칙칙하게 땀이 밴 얼굴을 들고 일어나서 내 위치를 흘끔 확인한 다음 본격적인 작업에 들어갔다. 터지려는 웃음을 꾹 참은 채 강도의 애교스러운 행각을 시종 주목하고 있던 나는 살그머니 상체를 움직여 동준이를 잠재울 때 이부자리 위에 떨어뜨린 식칼을 집어 들었다.

㉠ 인과응보(因果應報)
㉡ 주객전도(主客顚倒)
㉢ 대기만성(大器晩成)

MEMO

MEMO

메모하는 곳!

초등

수능 독해

문학 1

가이드북

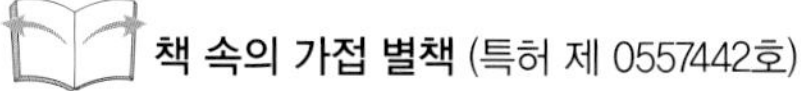

'가이드북'은 본책에서 쉽게 분리할 수 있도록 제작되었으므로
유통 과정에서 분리될 수 있으나 파본이 아닌 정상제품입니다.

우리는 남다른 상상과 혁신으로
교육 문화의 새로운 전형을 만들어
모든 이의 행복한 경험과 성장에 기여한다

초등

수능 독해

문학 1 | 육이오 전쟁부터 현대까지

가이드북

작품 이름	중등 교과서	고등 교과서	대학 수학 능력 시험	평가원 모의 평가	전국 연합 학력 평가
별별 인물					
01 유자소전 _ 이문구	○	○			○
02 장마 _ 윤흥길		○	○		○
03 자전거 도둑 _ 박완서	○	○			○
04 가난한 사랑 노래 _ 신경림	○	○	○		
05 괜찮아 _ 장영희	○				
별별 사건					
01 소음 공해 _ 오정희	○				
02 일용할 양식 _ 양귀자	○				○
03 노새 두 마리 _ 최일남	○				○
04 낙화 _ 이형기	○	○	○		○
05 구두 _ 계용묵	○	○			○
별별 배경					
01 수난이대 _ 하근찬	○	○			○
02 광장 _ 최인훈		○	○	○	
03 꺼삐딴 리 _ 전광용		○		○	○
04 성북동 비둘기 _ 김광섭	○	○			○
05 추억에서 _ 박재삼		○	○	○	○
별별 소재					
01 흐르는 북 _ 최일남		○	○	○	
02 아홉 켤레의 구두로 남은 사내 _ 윤흥길		○	○		○
03 성탄제 _ 김종길	○	○		○	○
04 풀 _ 김수영	○	○			○
05 결혼 _ 이강백		○		○	

문학 ❷ 수록 작품

작품 이름	중등 교과서	고등 교과서	대학 수학 능력 시험	평가원 모의 평가	전국 연합 학력 평가
별별 인물					
01 사랑손님과 어머니 _ 주요섭	○	○			
02 삼대 _ 염상섭		○	○	○	○
03 쉽게 씌어진 시 _ 윤동주		○			○
04 나룻배와 행인 _ 한용운	○	○	○		
05 살아 있는 이중생 각하 _ 오영진		○	○		
별별 사건					
01 미스터 방 _ 채만식	○	○		○	
02 운수 좋은 날 _ 현진건	○	○			○
03 봄·봄 _ 김유정	○	○		○	○
04 유리창 1 _ 정지용	○	○			○
05 고향 _ 백석	○	○	○		○
별별 배경					
01 메밀꽃 필 무렵 _ 이효석	○	○	○		○
02 만세전 _ 염상섭	○	○		○	○
03 태평천하 _ 채만식		○	○		
04 님의 침묵 _ 한용운		○	○		○
05 청포도 _ 이육사	○	○			○
별별 소재					
01 동백꽃 _ 김유정	○	○	○		
02 돌다리 _ 이태준	○	○	○		○
03 역마 _ 김동리		○		○	○
04 진달래꽃 _ 김소월	○	○	○		○
05 돌담에 속삭이는 햇발 _ 김영랑	○	○			

문학 ③ 수록 작품

작품 이름	중등 교과서	고등 교과서	대학 수학 능력 시험	평가원 모의 평가	전국 연합 학력 평가
별별 인물					
01 유충렬전 _ 작자 미상		○	○	○	○
02 심청전 _ 작자 미상	○	○	○	○	○
03 허생전 _ 박지원	○	○			○
04 동명왕 신화 _ 작자 미상	○	○			
05 (가) 동짓달 기나긴 _ 황진이	○	○			○
(나) 묏버들 가려 _ 홍랑	○	○	○		
별별 사건					
01 사씨남정기 _ 김만중	○	○	○	○	○
02 운영전 _ 작자 미상	○	○	○	○	○
03 흥보가 _ 작자 미상	○	○	○	○	○
04 춘향전 _ 작자 미상	○	○	○	○	○
05 가시리 _ 작자 미상	○	○	○	○	○
별별 배경					
01 박씨전 _ 작자 미상	○	○	○	○	○
02 홍길동전 _ 허균	○	○	○	○	○
03 양반전 _ 박지원	○	○	○		○
04 (가) 하여가 _ 이방원	○	○			
(나) 단심가 _ 정몽주	○	○			
05 봉산 탈춤(제6과장 양반춤) _ 작자 미상	○	○	○		○
별별 소재					
01 토끼전 _ 작자 미상	○	○	○	○	○
02 만복사저포기 _ 김시습		○	○		○
03 오우가 _ 윤선도	○	○	○		○
04 (가) 두꺼비 파리를 _ 작자 미상	○	○		○	○
(나) 개를 여남은이나 _ 작자 미상	○	○			
05 규중 칠우 쟁론기 _ 작자 미상	○	○			○

별별 인물

01 유자소전 이문구

메인북 8~13쪽까지 정답이야!

#장면별 핵심 태그

#1
후미진 [# 대폿집]에서 만나 '나'에게 이야기를 시작하는 유자

#2
[# 비단잉어]가 죽자 유자에게 화풀이를 하는 총수와 이를 의뭉스럽게 받아치는 유자

#3
유자가 죽은 비단잉어를 처리한 방식을 듣고 잔인무도하다고 말하는 [# 총수]

#4
총수가 [# 위선자]로 보이자 총수의 운전사를 그만두고 싶어 하는 유자

문제 정답 및 해설

작품 줄거리 1 운전사 2 비단잉어

01 인물 × 사건 × 배경 ○ 소재 ×

인물 '나'는 유자의 친구이며, 총수의 운전사는 유자이다.
사건 유자는 총수의 비단잉어가 죽자 비싼 비단잉어들을 그냥 버리기 아까워서 매운탕으로 만들어 먹었다고 하였다.
배경 유자는 민물고기를 파는 술집인 대폿집으로 '나'를 불러 이야기를 펼쳐 놓았다.
소재 유자가 총수의 죽은 비단잉어로 매운탕을 끓여 먹은 일로 유자와 총수 사이에 갈등이 벌어진다.

02 ⑤

유자가 비단잉어한테 반감을 가지는 이유는 수입 물고기라서가 아니라 회사 직원의 몇 사람 치 월급을 합쳐도 못 미치는 상식 밖의 몸값 때문이다.

03 ③

비단잉어가 왜 죽었느냐는 총수의 물음에 그 이유를 짐작하면서도 일부러 의뭉스럽게 대답하는 유자의 모습에서 그의 성격을 엿볼 수 있다. 또한 총수가 상식 밖의 비싼 몸값을 주고 비단잉어를 사들인 것에 대해 유자가 반감을 가진 것에서 유자가 허영과 위선에 대해 비판 의식이 있음을 알 수 있다.

04 ③

값비싼 비단잉어를 사다 연못에 풀어 놓은 총수의 모습에서 부를 과시한다는 것을, 고상한 척하지만 비단잉어가 죽자 사람들에게 화를 내는 총수의 모습에서 위선적인 면이 있음을 알 수 있다.

05 ④

이 글에서는 인물의 우스꽝스러운 말과 행동을 통해 웃음을 유발하고 있다. 유자는 시멘트의 독성을 충분히 빼내지 않고 비단잉어를 연못에 넣어서 비단잉어가 죽었을 것이라고 짐작하고 있다.

06 ⑤

유자는 총수가 겉모습만 그럴듯한 위선자로 비치기 시작하자, 그런 줄도 모르고 총수를 모셔 온 나날들이 욕스러웠고, 그런 총수에게 매인 몸으로 살 수밖에 없는 것이 구차스러워서 총수의 운전기사를 그만두고 싶어 한다.

07 ⑤

㉤은 '딱딱한 말씨로 따지고 다투어 봤자'라는 의미이다.

08 ④

보기는 유자의 출생과 성장 과정, 품성에 대해 서술하고 있다. 따라서 보기와 이 글의 제목 '유자소전'을 참고할 때, 이 글이 인물의 일대기를 기록하는 '전(傳)'의 양식을 취하고 있다는 것을 알 수 있다.

02 장마 윤흥길

메인북 14~19쪽까지 정답이야!

#장면별 핵심 태그

#1
외할머니가 구렁이를 죽은 삼촌으로 여기고 달래지만 꼼짝도 않는 [# 구렁이]

#2
[# 할머니]의 머리카락(흰머리)을 태우자 움직이는 구렁이를 배웅하는 외할머니

#3
할머니는 외할머니와 화해하고 '나'를 용서한 후 죽고, 지루한
[# 장마]도 끝이 남

문제 정답 및 해설

작품 줄거리 1 구렁이 2 외할머니

01
인물 ×
사건 ○
배경 ○
소재 ×

인물 구렁이를 달래어 배웅한 사람은 외할머니이다.
사건 외할머니가 구렁이를 배웅한 일은 할머니와 외할머니가 화해하는 계기가 된다.
배경 외할머니와 할머니가 한집에서 살고 있는 것으로 보아 알 수 있다.
소재 외할머니가 태운 것은 '나'의 머리카락이 아니라 할머니의 머리카락이다.

02 ①

집안에 들어온 구렁이는 감나무에 몸을 친친 감은 채 움직이지 않고 있을 뿐, 집안 식구들을 위협하고 있지는 않다.

03 ⑤

보기와 이 글을 참고할 때, 외할머니가 삼촌의 원한을 풀어 주어 삼촌의 영혼을 편안히 저승으로 보내려고 한다는 것을 알 수 있다.

04 할머니의 머리카락(흰머리)

움쩍도 않던 구렁이는 할머니의 머리카락을 태우자 몸을 움직여 집을 떠난다. 이로 보아 할머니의 머리카락은 구렁이(삼촌)의 원한을 푸는 매개물이면서, 삼촌에 대한 할머니의 사랑을 상징한다.

05 ⑤

이 글은 어린아이인 '나'의 시선으로 할머니와 외할머니의 갈등과 화해를 전함으로써, 할머니와 외할머니의 행동을 자연스럽고 객관적으로 전달하고 있다.
① 전쟁에 나간 사람은 '나'의 삼촌과 외삼촌이다. ② 할머니는 죽기 직전 '나'를 용서한다. ③ 장마가 끝나고 죽은 사람은 할머니이다. ④ 할머니는 구렁이를 보고 삼촌이 죽었다고 생각한다.

06 ③

쓰러졌던 할머니는 그동안의 일을 듣고 외할머니에게 고마워하며 두 사람은 화해한다. 할머니의 구완을 맡은 사람은 '나'의 고모이다.

07 ③

이 글의 결말에서는 등장인물 간의 화해와 용서가 나타나 있으며 모든 갈등이 해소되고 있다. 그러므로 등장인물 간에 새로운 갈등이 벌어진다는 내용은 적절하지 않다.

08 ③

이 글은 외할머니가 구렁이를 잘 대접하여 보내고 할머니와 외할머니가 서로 화해하는 모습을 통해 무속 신앙과 가족애와 같은 우리 민족 고유의 정서로 육이오 전쟁과 분단이라는 상처를 극복할 수 있음을 드러내고 있다.

03 자전거 도둑 박완서

메인북 20~25쪽까지 정답이야!

#장면별 핵심 태그

#1
수남이의 [# 자전거]가 쓰러지면서 생긴 자동차 흠집의 수리비를 요구하는 신사

#2
자전거를 훔쳐 도망친 일을 칭찬하는 주인 영감의 얼굴이 누런 [# 똥빛]임을 깨닫는 수남

#3
낮에 [# 도둑질]을 하면서 쾌감을 느꼈던 일 때문에 안절부절못하는 수남

#4
자신을 도덕적으로 견제해 줄 어른인 [# 아버지]에게 돌아가기로 한 수남

문제 정답 및 해설

작품 줄거리 1 차 2 자전거 3 아버지

01 인물 ○ 사건 × 배경 ○ 소재 ○

인물 수남이는 자전거를 들고 자신이 일하는 주인 영감의 가게로 도망쳐 온다.
사건 밖에 세워 둔 수남이의 자전거가 신사의 차 쪽으로 쓰러지면서 차에 흠집이 나게 된 것이다.
배경 수남이는 형이 그랬던 것처럼 서울 가서 돈을 벌어 오겠다며 집을 나왔다.
소재 수남이는 자전거에 채운 자물쇠를 분해하는 주인 영감의 얼굴이 '누런 똥빛'인 것을 깨닫고선 속이 메스껍다고 하였다.

02 ⑤
흠집을 찾고서는 환호하고 덩칫값도 못하게 팔짝팔짝 뛰는 것에서 경박한 인물임을, 어린 수남이에게 수리비로 큰돈을 요구하는 것에서 매정한 인물임을 알 수 있다.

03 ⑤
수남이는 신사에게 용서해 달라고 끝까지 빌어 보지만, 신사는 오히려 수남이의 자전거에 자물쇠를 채운다. 수남이는 빌어도 소용없자 결국 자물쇠가 채워진 자전거를 들고 도망치기에 이른다.

04 ②
신사가 자전거에 자물쇠를 채웠기 때문에 수남이는 자전거를 들고 도망친다.

05 ③
금전적 손해를 보지 않았다는 이유로 일종의 도둑질을 한 수남이를 칭찬하는 말이므로 주인 영감의 부도덕성이 드러난다. 주인 영감은 금전적 이익을 중시하고 수남이를 혹사시키는 인물이다.

06 ②
수남이는 '낮에 내가 한 짓은 옳은 짓이었을까?'라고 하며, 낮에 자전거를 들고 도망친 행동이 도덕적으로 옳은 일이었는지 고민하고 있다.

07 ⑤
수남이는 자신을 도덕적으로 견제해 줄 어른, 즉 아버지를 그리워하며 고향으로 돌아가기로 결심한다. 이로 보아 아버지는 주인 영감과 달리 수남이의 잘못을 꾸짖어 줄 분이다.

08 누런 똥빛
수남이의 얼굴이 누런 똥빛이 말끔히 가시고 소년다운 청순함으로 빛났다는 것에서 수남이의 내적 갈등이 해소되고 수남이가 양심과 도덕성을 되찾았음을 알 수 있다.

09 ③
작가는 수남이의 잘못을 꾸짖는 대신 오히려 칭찬하는 주인 영감의 부도덕성을 비판하고 있다. 반면 자신의 잘못을 반성하고 양심을 되찾는 수남이의 모습을 긍정적으로 그림으로써 주제를 드러내고 있다.

04 가난한 사랑 노래 신경림

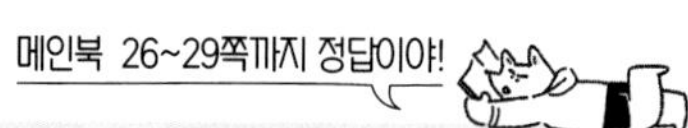

#장면별 핵심 태그

#1
가난한 노동자인 화자가 느끼는 외로움과 [# 두려움]

#2
보고 싶은 어머님과 고향에 대한 [# 그리움]

#3
[# 가난] 때문에 외로움, 두려움, 그리움, 사랑을 모두 버려야 하는 화자

문제 정답 및 해설

01 화자 ○ 시어 ○ 표현 ×

화자 이 시의 화자는 고향을 떠나 도시에서 생활하고 있는 가난한 젊은이이다.

시어 이 시의 화자는 '가난' 때문에 사람이라면 누구나 누릴 수 있는 감정을 버려야 한다고 말하고 있다.

표현 이 시는 연의 구분은 없지만 행 구분은 되어 있다. 이 시는 1연 18행으로 이루어진 시이다.

02 ⑤

이 시의 시적 화자는 가난으로 인해 '외로움, 두려움, 그리움, 사랑' 등의 인간적 감정들을 버려야 하는 현실 속에서 살아가고 있다. 현실을 극복하고자 하는 의지는 시에 드러나지 않는다.

03 ⑤

'가난하다고 해서 ~ 겠는가'라는 시구를 1, 4, 8, 12, 16행에서 반복하여 운율을 형성하고 있다(ㄷ). 또한 '-겠는가'라는 의문문의 형식을 통해 가난 때문에 인간적인 감정을 버려야 하는 화자의 슬픔을 강조하고 있다(ㄹ).

04 ③

'까치밥'은 바로 다음 시행에 나오는 '새빨간 감'을 가리킨다. 여기에는 고향을 그리워하는 마음이 담겨 있다고 볼 수 있다.

05 ②

선명한 색채 대비가 나타나는 시행은 3행으로 '눈 쌓인 골목길'의 하얀색과 '새파랗게 달빛이'의 파란색이 대비되고 있다.

06 ②

'내 볼에 와 닿던 네 입술의 뜨거움'에는 '뜨겁다'라는 촉각적 이미지가 드러나 있다. ②에도 '찬바람'에 '차갑다'라는 촉각적 이미지가 드러나 있다.
①은 미각과 후각의 복합적 이미지, ③은 청각적 이미지, ④는 후각적 이미지, ⑤는 시각적 이미지가 드러난다.

07 ②

'멀리 육중한 기계 굴러가는 소리'는 이 시의 화자가 산업화된 도시에서 고된 일을 하며 힘들게 살아가는 젊은 노동자임을 보여 준다. 따라서 ②와 같은 모습을 영상으로 보여 주는 것은 적절하지 않다.

08 ④

이 시는 가난 때문에 많은 것을 포기해야 하는 화자의 삶을 노래한 작품이다. 나아가 '이웃의 한 젊은이를 위하여'라는 부제를 붙임으로써 화자가 가난하고 소외된 이웃 모두를 위로하고 있다는 것을 알 수 있다.

05 괜찮아

장영희

메인북 30~33쪽까지 정답이야!

#장면별 핵심 태그

#1
어린 시절 몸이 불편한 '나'를 배려해 준 [# 어머니]와 골목 안 친구들

#2
'[# 괜찮아].'라는 말에 담긴 여러 가지 의미

#3
'나'에게 [# 희망]을 주는 말이 된 '괜찮아.'

문제 정답 및 해설

01 인물 × 사건 ○ 배경 ○ 소재 ○

인물 '나'의 어머니는 '나'가 집에서 책만 읽는 것을 싫어한다고 하였다.
사건 '나'가 초등학교 1학년 쯤, 집 앞 골목에 혼자 앉아 있는 것을 보고 깨엿 장수 아저씨가 '나'에게 깨엿 두 개를 주고 간다.
배경 '나'는 어머니가 대문 앞 계단에 깔아 준 작은 방석 위에 앉아, 골목길에서 노는 친구들과 놀았다. 놀이에 참여할 수 없을 때에는 친구들이 '나'에게 따로 역할을 주기도 하였다.
소재 '나'는 어린 시절 깨엿 장수에게서 들었던 '괜찮아.'라는 말, 방송에 나온 가수의 말, 운동 경기에 패배한 선수들에게 관중들이 외치는 말, 퀴즈 대회에서 탈락한 친구에게 다른 친구들이 해 주는 말처럼 '괜찮아.'라는 말을 들으면 가슴이 찡해진다고 하였다.

02 ①

#2의 '목발을 짚고 살아도 괜찮다는 것인지…….'를 통해 '나'가 다리가 불편해서 목발을 짚어야 하는 아이였음을 알 수 있다.
② '나'가 집에서 어머니와 노는 것을 좋아했다는 내용은 이 글에서 확인할 수 없다. ③ '나'는 초등학교 1학년 때 경험을 이야기하고 있다. ④ '나'는 골목길에 앉아 노는 아이들을 구경했다고 하였으므로, '나'가 집 안에서 혼자 지내는 시간이 많았다고 할 수 없다. ⑤ '나'는 놀이에 참여하지 못해도 전혀 소외감이나 박탈감을 느끼지 않았다고 하였다.

03 ⑤

골목 안 친구들은 놀이를 할 때 '나'에게 심판을 시키거나 신발주머니와 책가방을 맡겼다고 했다. 이처럼 친구들이 '나'에게 역할을 준 것은 '나'가 소외감이나 박탈감을 느끼지 않게 '나'를 배려한 것이라고 볼 수 있다.

04 ①

글쓴이는 '괜찮아.'라는 말이 용기를 북돋아 주고, 용서, 격려, 나눔, 부축, 희망의 말이 된다고 하였다. 그런데 ①은 이러한 의미들과는 거리가 멀다.

05 ①

할아버지가 꽃병을 깨뜨린 손자에게 한 '괜찮아.'라는 말은 '너라면 뭐든지 다 눈감아 주겠다.'라는 용서의 말이라고 볼 수 있다.

06 ③

이 글에서 글쓴이는 다른 사람들의 처지에 공감하고 따뜻하게 배려하는 마음이 담긴 말이, 세상을 긍정적인 방향으로 변화시킬 수 있다고 말하고 있다.

어휘로 마무리

메인북 34~36쪽까지 정답이야!

01 ①

제시된 문장과 ①의 '눈'은 '대기 중의 수증기가 찬 기운을 만나 얼어서 땅 위로 떨어지는 얼음의 결정체.'를 뜻한다. 나머지의 '눈'은 모두 '빛의 자극을 받아 물체를 볼 수 있는 감각 기관.'을 뜻한다.

02 ②

'옹색하다'는 '생각이 막혀서 답답하고 옹졸하다.'라는 뜻이다. '옹졸하다'는 '성품이 너그럽지 못하고 생각이 좁다.'라는 뜻이다.

03
(1) 임종
(2) 연민
(3) 생채기
(4) 회심

(1) '임종'에는 '죽음을 맞이함.'이라는 뜻과 '부모가 돌아가실 때 그 곁에 지키고 있음.'이라는 뜻이 있어서, '임종을 지키다.'라는 표현으로 많이 쓰인다.
(2) '연민'은 '동정심'과 유사한 뜻의 어휘이다.
(3) '생채기'는 '상처'와 유사한 뜻의 어휘이다.
(4) '회심'은 주로 '회심의' 꼴로 쓰여, '회심의 미소', '회심의 한 방'과 같은 표현으로 사용된다.

04 ㉡

'탄성'은 '몹시 감탄하는 소리.'를 뜻하는 말이다. '한숨'은 '근심이나 설움이 있을 때, 또는 긴장하였다가 안도하였을 때 길게 몰아서 내쉬는 숨.'을, '탄식'은 '한탄하여 한숨을 쉼. 또는 그 한숨.'을, '괴성'은 '괴상한 소리.'를 뜻한다.

05
(1) 네댓
(2) 비늘

(1) '네댓'은 '넷이나 다섯쯤 되는 수.'를 가리키는 말로, '네다섯'과 같은 말이다.
(2) '비늘'은 '물고기나 뱀 등의 표피를 덮고 있는 얇고 단단하게 생긴 작은 조각.'을 가리킨다. 「유자소전」의 유자는 맞춤법에 어긋난 말이나 비속어를 자주 쓰는데, 이는 작품의 효과를 위한 것이므로 유의해야 한다.

06
(1) ㉢
(2) ㉡

(1) '단박에'는 '그 자리에서 바로를 이르는 말.'이므로, '어떤 일이 행하여지는 바로 그때.'라는 뜻의 '즉시'나, '쉬지 아니하고 곧장.'이라는 뜻의 '단숨에'와 바꾸어 쓸 수 있다. ㉢ '한꺼번에'는 '몰아서 한 차례에. 또는 죄다 동시에.'라는 뜻이므로 바꾸어 쓰기에 적절하지 않다.
(2) '역할'은 '자기가 마땅히 하여야 할 맡은 바 직책이나 임무.'를 뜻하므로, '맡은 일. 또는 맡겨진 일.'을 뜻하는 '임무'나 '일을 맡는 역할이나 부서.'를 뜻하는 '파트'와 바꾸어 쓸 수 있다. ㉡ '배역'은 '배우에게 역할을 나누어 맡기는 일. 또는 그 역할.'을 뜻하므로 바꾸어 쓰기에 적절하지 않다.

07 ㉡

두 할머니는 서로의 마음을 이해하고 위로하고 있으므로 '같은 병을 앓는 사람끼리 서로 가엾게 여긴다는 뜻으로, 어려운 처지에 있는 사람끼리 서로 가엾게 여김을 이르는 말.'인 ㉡ '동병상련'이 가장 적절하다.
㉠ '선견지명'은 '어떤 일이 일어나기 전에 미리 앞을 내다보고 아는 지혜.'를 나타낸다. ㉢ '설상가상'은 '눈 위에 서리가 덮인다는 뜻으로, 난처한 일이나 불행한 일이 잇따라 일어남을 이르는 말.'이다.

08 ㉠

수남이는 낮에 자전거를 들고 도망친 일로 걱정하고 있다. 그러므로 '지은 죄가 있으면 자연히 마음이 조마조마하여짐을 비유적으로 이르는 말.'인 ㉠ '도둑이 제 발 저리다.'라는 속담이 어울린다.
㉡ '비 온 뒤에 땅이 굳어진다.'는 '비에 젖었던 흙도 마르면서 단단하게 굳어진다는 뜻으로, 어떤 시련을 겪은 뒤에 더 강해짐을 비유적으로 이르는 말.'이다.
㉢ '하늘이 무너져도 솟아날 구멍이 있다.'는 '아무리 어려운 경우에 처하더라도 살아 나갈 방도가 생긴다는 말.'이다.

별별 사건

01 소음 공해 오정희

메인북 38~43쪽까지 정답이야!

#장면별 핵심 태그

#1
가정주부이자 심신 장애인 시설에서 [#자원봉사자]로 일하고 있는 '나'

#2
위층에서 나는 [# 소음] 때문에 시달리는 '나'와 짜증을 내는 식구들

#3
[# 인터폰]을 통해 위층 여자에게 주의해 달라고 항의하는 '나'

#4
위층에 갔다가 [# 휠체어]에 앉은 여자를 보고 슬리퍼를 감추는 '나'

문제 정답 및 해설

작품 줄거리 **1** 인터폰 **2** 슬리퍼 **3** 휠체어

01
인물 ○
사건 ○
배경 ×
소재 ×

인물 '나'는 목요일마다 장애인 시설에서 자원봉사를 하고 있다.
사건 '나'는 위층에서 나는 소음 때문에 시달리다 결국 위층에 조용히 해 달라고 항의하며 위층 여자와 갈등한다.
배경 '나'와 가족이 살고 있는 곳은 공동 주택(아파트)이다.
소재 '인터폰'으로는 서로의 모습을 볼 수 없으므로 위층 여자가 장애인이라는 사실을 알려 주지는 못한다.

02 ①

'나'는 남편과 두 고등학생 아들이 있는 가정주부이다. 가족들이 집에 있을 때에는 늘 대기하고 있다고 하였으므로 가족과 집안일에 신경을 많이 쓰고 있음을 알 수 있다.

03 ⑤

'나'가 위층 여자에게 슬리퍼를 선물하려고 한 까닭은 자신이 소음 때문에 고통받고 있으니 이 슬리퍼를 신고 조용히 다녀 달라는 메시지를 전달하기 위해서이다.

04 ㄴ → ㅁ → ㄷ → ㄹ → ㄱ

'나'는 위층의 소음을 견디지 못해(ㄴ) 처음에는 경비원을 통해 항의하고(ㅁ), 이후 인터폰을 통해 직접 항의하다가(ㄷ) 위층에 직접 찾아가는데 여기서 위층 여자의 처지를 알게 되면서(ㄹ) 이웃에 무관심했던 자신을 부끄러워한다(ㄱ).

05 ⑤

ⓐ~ⓓ는 위층에서 들려오는 소리를, ⓔ는 피아노와 첼로의 멜로디를 가리킨다. 위층에서 들리는 소음 때문에 피아노와 첼로의 멜로디까지 소음으로 들리게 되었다는 의미이다.

06 휠체어

위층에서 나는 소음의 정체가 휠체어 바퀴를 끄는 소리라는 것이 밝혀지며 갈등이 해소된다. 이처럼 '휠체어'는 극적 반전의 소재가 된다.

07 ④

'나'는 인터폰을 통한 위층 여자의 신경질적인 반응에 뻔뻔스럽다며 화를 낸다. 그러다 위층에 올라가 다리가 없이 휠체어에 앉아 있는 위층 여자를 보며 당황해한다. 그리고 위층 여자의 그런 처지를 모른 채 짜증을 낸 자신의 모습을 부끄러워한다.

08 ③

'나'는 심신 장애인 시설에서 자원봉사를 하면서도 바로 위층에 있는 이웃이 장애인이라는 사실은 알지 못한다. 이러한 설정을 통해 작가는 이웃에 대한 관심과 배려가 필요하다는 주제를 강조하고 있다.

02 일용할 양식 양귀자

메인북 44~49쪽까지 정답이야!

#장면별 핵심 태그

#1
확장 개업한 후
[# 풍년]의 조짐이
보이는 김포 슈퍼

#2
김포 슈퍼에서 팔던 쌀과
[# 연탄]을 팔기
시작한 형제 슈퍼

#3
김 반장이 [# 김포]
슈퍼를 의식하여 어려운
형편에도 품목을 늘린 이유

#4
어느 슈퍼로 가야 할지 입장이
난처해진 [# 원미동]
여자들

문제 정답 및 해설

작품 줄거리 1 김 반장 2 쌀

01 인물 ○ 사건 ○ 배경 ○ 소재 ×

인물 이 글의 등장인물들은 모두 원미동 23통 5반에 사는 동네 주민들이다.
사건 김포 슈퍼가 확장 개업하면서 김 반장네 형제 슈퍼와 똑같은 품목을 팔아서 두 슈퍼가 경쟁하게 된 것이다.
배경 이 글은 1980년대 부천시 원미동이라는 도시 변두리 동네를 배경으로 하고 있다.
소재 원래 쌀과 연탄만 팔던 가게는 김포 쌀 상회로, 이곳은 김포 슈퍼가 되었다.

02 ④

김포 슈퍼는 시장이 아니라 원미동 23통 5반에 있는 가게이다. 원미동 여자들은 시장이 먼 탓에 웬만한 찬거리는 동네 가게에서 구입한다고 하였다. 시장에 가지 않아도 김포 슈퍼에서 질 좋은 찬거리를 싸게 구입할 수 있으니 김포 슈퍼가 장사가 잘되는 것이다.

03 ②

다리뼈가 부러져 직장을 잃은 사람은 김 반장이 아니라 김 반장의 아버지이다. 할머니, 아버지, 어머니, 동생 넷까지 전부 책임져야 하다 보니 김 반장이 억척스러워졌다고 볼 수 있다.

04 쌀, 연탄

김포 슈퍼는 원래 '김포 쌀 상회'라는 이름을 걸고 쌀과 연탄만 취급하다가 슈퍼로 확장 개업하면서 생필품, 채소, 과일을 추가로 팔았다. 이에 형제 슈퍼의 김 반장도 팔지 않던 쌀과 연탄을 취급하면서 두 슈퍼가 같은 품목을 팔게 되어 외적 갈등을 겪는다.

05 ⑤

#3에서 형제 슈퍼는 무질서하고 부식의 신선미도 떨어지는 반면, 김포 슈퍼는 새로 확장하면서 깔끔하게 정돈되어 있어 사람들이 김포 슈퍼를 더 많이 찾게 되었다고 하였다.

06 ②

'참말로 딱하게 된 것은 원미동 여자들이었다.'는 김포 슈퍼와 형제 슈퍼 사이에서 어느 슈퍼로 가야 할지 내적 갈등을 겪는 원미동 여자들의 딱한 처지를 서술자가 직접 개입하여 서술한 부분이다.

07 ④

김포 슈퍼가 형제 슈퍼에서 팔던 품목들을 취급하면서 사람들이 김포 슈퍼로 발길을 돌리자, 김 반장은 김포 슈퍼에서 팔던 쌀과 연탄을 팔기 시작하고 김포 슈퍼와 본격적으로 경쟁하기 시작한다.

08 ①

동네에 구멍가게가 들어설까 봐 계약 건수가 있을 때마다 강남 부동산에 드나들던 것은 경호네가 아니라 김 반장이다.

03 노새 두 마리 최일남

메인북 50~55쪽까지 정답이야!

#장면별 핵심 태그

#1
가파른 골목길을 오르다 마차가 미끄러지자 그 틈에 달아난 [# 노새]

#2
[# 대폿집]에서 이제부터는 자신이 노새가 되겠다고 말하는 아버지

#3
[# 노새]가 사고를 쳐서 순경이 찾아왔다는 말을 듣고 집을 나가는 아버지

문제 정답 및 해설

작품 줄거리 1 연탄 2 노새

01 인물 ○ 사건 × 배경 ○ 소재 ×

인물 아버지의 직업은 연탄 배달부이다.
사건 순경이 와서 아버지를 잡아가야 한다고 했지만, 아직 어머니나 아버지가 경찰서에 잡혀가지는 않았다.
배경 온종일 먹지도 못하고 노새를 찾아 돌아다니던 '나'와 아버지는 대폿집에 들어가서 허기를 달랜다.
소재 노새는 구시대적인 교통수단이다. 현대의 교통수단은 자동차, 기차, 비행기 등을 이른다.

02 ③

마차가 오르막길 중간에 걸려 움직이지 못하고 있는 것을 본 사람들은 쳐다보기만 할 뿐 도와주지는 않는다. 연탄 마차를 밀었다가는 옷이고 몸이고 모두 연탄이 묻어 망가질 것이 뻔하기 때문이다.

03 ②

이 글은 어린아이인 '나'의 시각에서 아버지와 주변 사람들의 모습과 이들이 겪는 사건들을 있는 그대로 전달하고 있다.
① '나'와 아버지는 평범하게 살아가는 소시민이다. ③ 이 글에서 대화는 거의 나오지 않는다. ④ 심리 묘사보다는 행동 위주로 서술되어 있다. ⑤ 이 작품의 중심 사건은 노새가 도망간 것이며, 인물 간의 갈등은 드러나지 않는다.

04 ①

ㄱ. 가족을 먹여 살리기 위해 자신이 노새가 되겠다고 하는 아버지의 말을 통해 '노새'가 힘겹고 고단하게 일하는 아버지를 상징함을 알 수 있다. ㄹ. '노새'는 산업화·도시화의 시대에 맞지 않는 구시대의 수단이라는 점에서 변화하는 도시의 삶에 적응하지 못하는 존재를 의미한다고 볼 수 있다.

05 ④

이 글의 배경은 1970년대의 도시 변두리이다. 교통수단으로 노새나 말이 모는 마차가 쓰인 것을 보고 시대적 배경을 알 수 있다.

06 ⑤

우리 가족의 생계 수단이었던 노새가 도망가자 아버지는 대폿집에서 술을 마시며 슬픔을 달랜다. 그러면서 자기가 노새처럼 살며 가족을 먹여 살리겠다는 의지를 다진다.

07 ⑤

노새는 도시화와 산업화가 이루어지던 사회에서 점차 사라져 가는 구시대의 교통수단이다. 비행기, 헬리콥터, 자전거, 자동차는 현대의 교통수단으로, 노새와 대비된다.

08 ④

도시화, 산업화에도 구시대의 수단인 노새를 이용하고, 노새를 잃은 후에는 스스로가 노새가 되겠다는 아버지를 통해, 시대의 변화에 적응하지 못하고 힘겹게 사는 소외 계층의 삶을 보여 준다.

04 낙화 이형기

#장면별 핵심 태그

#1
가야 할 때를 알고 가는 이의 아름다운 [# 뒷모습]

#2
화자의 [# 사랑]이 지듯 흩날리며 떨어지는 꽃

#3
여름의 녹음을 지나 가을의 [# 열매]를 맺기 위한 낙화

#4
꽃잎이 떨어지듯 결별로 성숙하는 화자의 [# 영혼]

문제 정답 및 해설

01 화자 ○ 시어 ○ 표현 ×

화자 이 시의 화자는 꽃나무에서 꽃이 떨어지는 모습에서 자신이 이별한 상황을 떠올리고 있다.
시어 이 시에는 '봄', '가을'과 같이 계절을 직접 가리키는 시어가 쓰였다.
표현 이 시의 화자는 자신의 마음을 있는 그대로 표현하고 있다.

02 ①

이 시는 꽃이 피는 것을 사랑에, 꽃이 지는 것을 이별에, 열매를 맺는 것을 이별 후의 정신적 성숙에 빗대어 표현하고 있다. '개화(꽃이 핌.) – 사랑', '낙화(꽃이 짐.) – 이별', '열매, 녹음 – 성숙'과 같이 대응된다.

03 ⑤

'영혼의 성숙'은 '꽃'이 진 이후에 '녹음'이 무성해지거나 '열매'를 맺는 과정에서 이루어진다.

04 ③

사람이 아닌 '꽃잎'이 사람처럼 손길을 흔들고 있다고 표현하고 있는 의인법이 쓰였다. ③ 역시 사람이 아닌 '갈잎'이 사람처럼 노래를 부른다고 하였으므로 의인법이 쓰였다.
① '내 마음'을 '호수'에 간접적으로 비유한 은유법이 쓰였다. ② '접동'이라는 시어가 반복되는 반복법이 쓰였다. ④ '고와서'와 '서러워라'는 앞뒤가 맞지 않는 말처럼 보이지만, 그 속에 깊은 뜻을 품고 있는 역설법이 쓰였다. ⑤ '고양이의 털'을 '꽃가루와 같이'라며 직접 비유한 직유법이 쓰였다.

05 ③

이 시는 높은 곳에서 아래로 내려오는 하강적 분위기의 시어를 통해 낙화의 상황을 표현하고 있는데, '녹음'은 푸른 잎이 우거진 모습이므로 쓸쓸하거나 안타까운 느낌의 하강적인 분위기와는 거리가 멀다.

06 결별이 이룩하는 축복에 싸여

결별은 헤어지는 것인데 이를 축복이라고 하는 것은 이치에 맞지 않는다. 하지만 이러한 이별의 아픔을 통해 정신적으로 성숙하게 되므로 축복이라고 표현한 것이다. 시인은 '이별을 통한 영혼의 성숙'이라는 시의 주제를 역설적 표현을 사용하여 드러내고 있다.

07 ②

봄에 꽃이 피고 여름에 녹음이 무성해지고 가을에 열매를 맺는 것처럼, 이 시는 만남과 헤어짐의 과정을 영혼이 성숙되는 과정으로 보고 있으므로, 화자의 슬픔이 심화된다는 분석은 적절하지 않다.

08 ②

꽃이 만발하는 봄이라는 계절은 인생에서의 청춘기와 유사하다고 할 수 있다.

05 구두 계용묵

#장면별 핵심 태그

#1
구두를 고치면서 박은 [# 징]이 바닥에 부딪치는 소리가 싫은 '나'

#2
[# 또그닥]거리는 구두 소리 때문에 앞에서 걸어가던 여자에게 오해를 산 '나'

#3
여자가 자신을 [# 불량배]로 알 것이 서글픈 '나'

#4
세세한 데에도 [# 신경]을 써야 하는 것이 사람임을 깨달은 '나'

문제 정답 및 해설

01 인물 ○ 사건 × 소재 ×

인물 '나'와 젊은 여자가 창경궁 담 길을 걷다가 일어난 일이다.
사건 젊은 여자는 뒤에서 걸어오는 '나'의 구두 소리를 듣고 '나'가 자신을 쫓아온다고 오해하였다.
소재 '구두 징 소리'는 오해를 불러일으켜 긴박한 상황이 일어나게 만든 소재로, 오해와 불신을 드러내는 역할을 한다.

02 ①

'나'의 앞에 가던 여자 입장에서는 아무도 없는 길에서 뒤를 따르는 남자의 구두 소리가 점점 가까워질수록 공포스러웠기에 계속 뒤를 돌아보거나 빠르게 걷는 행동을 한 것으로 볼 수 있다.

03 ②

'나'가 여자를 앞서가려고 더 빨리 걷자, 오히려 여자는 불안감에 자기도 있는 힘껏 걷는다. '나'와 여자의 거리가 불과 2, 3보 정도로 가까워지자 여자가 골목으로 들어가는데, 이로써 극으로 치닫던 긴장이 해소된다.

04 ③

'나'는 자신의 구두 징 소리 때문에 의도하지 않게 여자에게 오해를 사고 있다. ③ 역시 먼지 때문에 눈을 감은 것인데 졸고 있다고 오해를 샀으므로 이 글과 비슷한 사례라고 볼 수 있다.
① 본인의 건망증 때문에 자신이 애를 썼던 일이므로 이 글의 사례와는 거리가 멀다. ② 안 좋은 일에 더 안 좋은 일이 겹쳐서 일어나고 있는 상황으로 오해와는 거리가 멀다. ④ 내가 오해를 산 것이 아니라 반대로 내가 다른 사람을 오해한 경우이다. ⑤ 바라던 대로 이루어지지 않은 상황으로 오해와는 거리가 멀다.

05 ④

이 글은 구두에 박은 징 때문에 의도하지 않게 오해를 산 일에 대한 서글픔을 드러낸 글이다. 구두를 신는 것 자체가 문제가 아니므로 구두 대신 운동화를 신으라고 하는 것은 적절하지 않다.

메인북 64~66쪽까지 정답이야!

01
(1) - ㉡, (2) - ㉠, (3) - ㉢

㉠ '시적시적'은 힘들이지 않고 느릿느릿 행동하거나 말하는 모양, ㉡ '바득바득'은 악착스럽게 애쓰는 모양, ㉢ '하롱하롱'은 작고 가벼운 물체가 떨어지면서 잇따라 흔들리는 모양을 뜻한다.

02 ④

'결별'과 '이별'은 반대되는 뜻의 반의어가 아니라 비슷한 뜻을 가진 유의어이다. '결별'은 다시 만날 약속 없이 이별하는 것이고, '이별'은 서로 따로따로 떨어지는 것을 뜻한다.
① '개업'은 영업을 시작하는 것이고, '폐업'은 영업을 끝내는 것이므로 반대말이다. ② '선의'는 착한 마음이고, '악의'는 나쁜 마음이므로 반대말이다. ③ '슬픔'은 슬픈 마음이나 느낌을, '기쁨'은 흡족한 마음이나 느낌을 나타내는 말이므로 반대말이다. ⑤ '직접적'은 중간에 연결해 주는 사람이나 사물 없이 연결되는 것이고 '간접적'은 중간에 연결해 주는 사람이나 사물을 통해 연결되는 것이므로 반대말이다.

03
(1) 저의
(2) 수선
(3) 조짐

'저의(底意)', '수선(修繕)', '조짐(兆朕)'은 모두 한자어이다. 초성을 보고도 바로 어휘가 떠오르지 않는다면, 작품을 다시 읽으면서 어떤 상황이나 분위기에서 쓰이는 말인지 다시 확인해 보는 것이 좋다.

04
(1) 슈퍼
(2) 롤러스케이트

(1) 영어 'supermarket'은 '슈퍼마켓', '슈퍼'가 바른 표기이다. '수퍼마켓, 수퍼마킷' 등은 잘못된 표기이다.
(2) 영어 'roller skate'는 '롤러스케이트'가 바른 표기이다. '로울러스케이트, 롤라스케이트, 롤라스케잇트' 등은 잘못된 표기이다.

05 ①

빈칸의 바로 뒤에 나오는 대화를 보면 경호네가 잘되었으면 하고 바라는 내용임을 알 수 있다. 이처럼 남이 잘되기를 비는 말을 '덕담'이라고 한다.
② 악담: 남을 비방하거나, 잘되지 못하도록 저주하는 말. ③ 험구: 남의 흠을 들추어 헐뜯거나 험상궂은 욕을 함. 또는 그 욕. ④ 부탁: 어떤 일을 해 달라고 청하거나 맡기는 것. ⑤ 칭찬: 좋은 점이나 착하고 훌륭한 일을 높이 평가하는 말.

06
(1) 소음
(2) 내막
(3) 매상

(1) '소음'의 '음(音)'은 '소리'라는 뜻이 있다.
(2) '내막'의 '내(內)'는 '안이나 속'이라는 뜻이 있다.
(3) '매상'의 '매(賣)'는 '판매'의 뜻을 가진 한자이다. 이처럼 쉬운 한자만 알고 있어도 어휘의 뜻을 추측하는 데 도움을 얻을 수 있다.

07 ㉡

'입이 닳다'라는 관용어는 '다른 사람이나 물건에 대하여 거듭해서 말하다.'라는 의미이다. ㉡의 '입이 마르다'도 '다른 사람이나 물건에 대하여 거듭해서 말하다.'라는 의미이므로 바꾸어 쓰기에 적절하다.
㉠ 입이 달다: 입맛이 당기어 음식이 맛있다. ㉢ 입이 벌어지다: 매우 놀라거나 좋아하다.

08 ㉢

㉢ '적반하장(賊反荷杖)'은 '도둑이 도리어 매를 든다는 뜻으로, 잘못한 사람이 아무 잘못도 없는 사람을 나무람을 이르는 말.'이다.
㉠ 이심전심(以心傳心): 마음과 마음이 서로 통함. ㉡ 동병상련(同病相憐): 같은 병을 앓는 사람끼리 서로 가엾게 여긴다는 뜻으로, 어려운 처지에 있는 사람끼리 서로 가엾게 여김을 이르는 말.

별별 배경

01 수난이대 하근찬

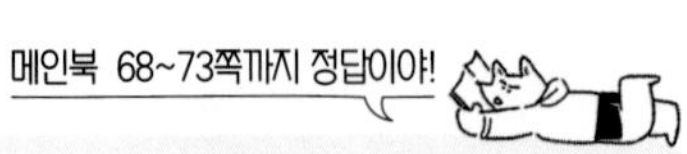

#장면별 핵심 태그

#1
공습을 피하려고 들어간 굴에서 다이너마이트가 터져 한쪽 [# 팔]을 잃은 만도

#2
전쟁에서 한쪽 [# 다리]를 잃고 돌아온 진수를 보고 충격을 받은 만도

#3
진수가 한쪽 다리를 잃은 사연을 듣고 진수에게 위로를 건네는 [# 만도]

#4
힘을 합하여 [#외나무다리]를 건너는 만도와 진수의 모습을 내려다보는 용머리재

문제 정답 및 해설

작품 줄거리 1 공습 2 외나무다리

01 인물 ○ 사건 ○ 배경 ○ 소재 ×

인물 만도는 아버지, 진수는 만도의 아들이다.
사건 만도는 일제에 강제로 끌려가 공사장에서 왼쪽 팔을 잃었고, 진수는 육이오 전쟁에 나갔다가 한쪽 다리를 잃었다.
배경 만도는 기차 정거장으로 진수를 마중나갔다.
소재 만도와 진수는 외나무다리를 만나자 처음엔 난처해하였으나 이내 만도가 진수를 업고 건너가고 있다.

02 ⑤

앞으로 일어날 사건에 대해 미리 독자에게 넌지시 암시하는 서술 방식을 '복선'이라고 한다. ①~④는 만도에게 불길한 일이 생길 것을 암시하지만, ⑤는 위험한 상황을 피하기 위한 행동일 뿐이다.

03 ⑤

다리를 잃고 어떻게 살아야 할지 막막해하는 진수에게 만도는 손의 중요성을 강조하며 진수를 위로한다. 집에서 하는 일은 진수가 하고, 밖으로 돌아다녀야 하는 일은 자기가 하면 된다며 적극적인 태도를 보여 주고 있으므로, ⑤가 가장 적절하다.

04 상이군인

'상이군인'은 전투나 업무 중에 몸을 다친 군인을 가리킨다. 만도는 처음 상이군인을 발견했을 때에는 상이군인이 자기 아들일 거라고는 차마 생각하지 못하고 관심을 두지 않았다.

05 ④

만도와 진수는 외나무다리를 만나자, 만도가 진수를 업고 건너가기로 한다. 이는 두 사람의 갈등이 아니라, 두 사람이 협력함으로써 고난을 극복할 수 있다는 사실을 보여 준다.

06 ③

눈앞에 솟은 용머리재를 통해 만도 부자가 넘어야 할 고난이 남아 있음을 암시된다. 하지만 만도 부자는 힘을 합해 시련을 극복하고 있으므로 비극적인 결말을 암시한다는 것은 적절하지 않다.

07 ⑤

만도는 아들이 돌아온다는 사실에 설레고 긴장하며 불안해하기도 한다. 결국 다리가 하나 없이 돌아온 아들을 보고 만도는 눈물이 핑 돌 정도로 안타까움을 느끼고 있다. 한편 만도는 폼에서 아들을 애타게 찾았으며 아들과의 만남을 피하고 싶어 하지 않는다.

08 ③

보기에서 만도 부자의 수난은 개인적 차원의 비극이 아니라 민족적 차원의 비극이라고 하였다.

보기 돋보기
'태평양 전쟁(1941~1945)'은 제이 차 세계 대전 중에 일본이 일으킨 전쟁이다. 당시에 우리나라는 일제의 지배를 받고 있었기 때문에, 많은 조선인들이 만도처럼 전쟁터에 끌려가 강제로 일을 해야 했다.

02 광장 최인훈

#장면별 핵심 태그

#1
북한으로 오라는 북한 측의 설득에도 [# 중립국]을 선택한 이명준

#2
남한으로 오라는 [# 남한] 측의 설득에도 중립국을 선택하는 상상을 하며 웃는 이명준

#3
이념의 환상에 지친 이명준이 수명이 다하길 기다리며 쉬기 위해 선택한 [# 중립국]

문제 정답 및 해설

메인북 74~79쪽까지 정답이야!

작품 줄거리 1 중립국 2 섬

01 인물 ○ 사건 × 배경 × 소재 ○

인물 #1에서 '포로는 왼편에서 들어와서 오른편으로 빠지게 돼 있다.'라는 부분에서 알 수 있다.
사건 이명준은 상상 속에서 남한 측 설득자의 설득도 결국 거절한다.
배경 이명준은 남한 측의 포로로, 현재 북한 측 포로 심사장 천막에 있다. 남한 측 천막의 일은 이명준이 상상한 것이다.
소재 이명준은 "중립국."이라는 말을 되풀이함으로써 중립국으로 가겠다는 자신의 의지를 강하게 드러내고 있다.

02 ③ 이명준은 남한과 북한의 현실에 실망하고, 중립국으로 가겠다는 생각을 굽히지 않고 있다. 따라서 남한과 북한의 미래에 대해 고민하고 있다고 볼 수 없다.

03 ① 망가진 조국을 재건하기 위해서 이명준과 같은 지식인이 필요하다고 하며 조국애를 강조하며 설득한 것은 남한 측이다.

04 ② 이명준이 서울 출신이라는 것은 단순히 남한 설득자가 확인한 내용이다. 한편 국가에서 연금을 줄 것이라고 한 것은 남한 측이 아니라 북한 측이다.

05 ④ 북한 측과 남한 측의 끈질긴 설득에도 이명준은 "중립국."이라는 말만 반복하며 상대방의 설득을 단호하게 거부하고 있다.

06 ⑤ 이명준은 이념의 대립과 갈등이 없는 곳에서 인간다운 삶을 살고 싶어서 중립국을 선택한다.

07 ⑤ 육이오 전쟁에서 포로가 된 이명준은 포로를 돌려보내기 위한 심사를 받는다(ㄷ). 여기에서 이명준은 남한과 미국의 이념을 선택할지, 북한과 중공의 이념을 선택할지 강요받는다(ㄹ).
ㄱ. 남한은 자유주의 사회이고, 북한은 사회주의 사회이다. ㄴ. 남한 측 설득자의 말에서 전쟁 이후 남한은 여러 가지 문제를 가진 과도기에 있었음을 알 수 있다.

08 ③ #3을 보면, 이명준은 남한과 북한에서 제시한 이념이 결국 권력자들이 자신의 권력을 잡기 위해 제시한, 허황된 것이었다고 실망하고 있다. '섬'은 이념의 대립이나 갈등이 없는 중립국을 가리키며, '항구'는 '섬'과 대비되는 곳으로 허황된 이념이 있는 남한이나 북한을 가리킨다.

/ 현대 소설 /

03 꺼삐딴 리 전광용

#장면별 핵심 태그

#1
스텐코프의
[# 혹]을 떼는
수술에 성공하여 감옥에서
풀려난 과거를 떠올리는
이인국

#2
[# 브라운 씨]에게
고려청자 화병을 선물하며
미국에서의 일을 부탁하는
이인국

#3
[# 미국]에 다녀오면
두고 보자며 미래에 대한
희망에 부풀어 있는 이인국

문제 정답 및 해설

메인북 80~85쪽까지 정답이야!

작품 줄거리 1 시계 2 미국

01
인물 ○
사건 ○
배경 ×
소재 ×

인물 스텐코프가 이인국을 '독또오루(닥터)'라고 부른 것에서 이인국이 의사임을 알 수 있다.
사건 이인국은 스텐코프의 혹을 없애 준 후에, '죽음의 직전에서 풀려나' 집으로 향했다고 하였다.
배경 이인국은 현재는 남한으로 넘어와서 의사 생활을 하고 있다.
소재 이인국이 스텐코프에게 찾아달라고 한 것은 회중시계이다.

02 ④
이인국은 자신의 영어 문법과 발음이 좋다고 칭찬하는 브라운 씨에게, 자신은 따로 개인 교수를 받고 있다고 말하고 있다. 그러므로 이인국이 브라운 씨에게 교수를 받고 있다고 보기는 어렵다.

03 ②
이인국은 일제 강점기에는 일본어를, 광복 후 소련이 세력을 얻었을 때에는 러시아어를, 전쟁 때 남한으로 온 이후에는 영어를 공부하고 있다. 이처럼 이인국에게 언어를 배우는 것은 세력을 잡은 나라의 사람들에게 환심을 얻고 출세를 하기 위한 방편이다.

04 ⑤
이인국은 뇌물로 우리나라의 문화재인 '고려청자'를 브라운 씨에게 선물하면서 자책감을 느끼지 않고 있다. 오히려 브라운 씨가 가진 게 많아서 자신의 선물이 소용없게 될까 봐 걱정하고 있다.

05 ④
#3을 보면, 브라운 씨의 도움으로 미국에 가게 된 이인국의 마음속에 '새로운 포부와 희망이 부풀어 올랐다'고 하였다. 이인국은 미국에 다녀와서 미래에 더 성공하게 되리라는 생각에 들떠 있다.

06 ③
#2에서 이인국은 고려청자를 받은 브라운 씨가 자신이 미국에 갈 수 있도록 돕는 것을 보고, 이것이 수술을 받은 스텐코프가 자신을 도와준 방식과 그대로라고 생각한다. 그러면서 자신의 처세법은 유에스에이(미국)에도 통한다고 기고만장해하였다.

07 ⑤
이인국은 의사로서의 사명보다 개인의 명예와 출세가 더 중요한 인물로, 미국에 다녀온 젊은 의사들이 잘난 척하는 모습을 꼴사납게 여기고, 자신이 미국에 다녀오면 두고 보자고 생각한다. 이는 이인국이 미국에 가는 이유가 자신의 출세와 성공에 있음을 보여 준다.

08 ②
이인국은 일제 강점기에는 일본에, 광복 이후에는 소련에, 남한에 온 이후는 미국에 아첨했던 기회주의적 인물이다. '꺼삐딴 리'는 이러한 이인국의 모습을 반어적으로 표현한 말이다.

04 성북동 비둘기 김광섭

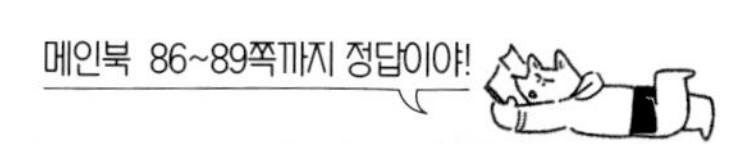

#장면별 핵심 태그

#1
문명에 의한 자연 파괴로 보금자리를 잃은 [# 비둘기]

#2
도시화로 밀려나 과거에 대한 [# 향수]를 느끼는 비둘기

#3
[# 사랑]과 평화를 잃어버린 채 쫓기는 비둘기

문제 정답 및 해설

01
화자 ×
시어 ×
표현 ○
배경 ○

화자 화자는 자연을 고려하지 않고 무분별하게 개발하는 인간 문명을 비판하고 있으므로, 도시 문명을 부정적으로 본다.
시어 '비둘기'는 원래 사랑과 평화를 상징하는 존재이며, '성북동 비둘기'는 인간의 욕심으로 파괴된 자연을 뜻한다.
표현 3연에서는 'ㅅ'으로 시작하는 '사람'이나 '사랑'으로 행을 시작하여 리듬감을 주고 있다.
배경 이 시는 성북동이 개발되면서 비둘기들이 살던 성북동 산이 인간이 사는 곳으로 바뀌는 상황을 그리고 있다.

02 ⑤
이 시의 화자는 산업화·도시화로 인해 보금자리를 잃은 비둘기의 부정적인 처지를 제시하여 현대 문명에 대해 비판적 태도를 드러내고 있다.

03 ⑤
'비둘기'는 원래 사랑과 평화를 상징하지만, 이 시에 나타난 '성북동 비둘기'는 도시화로 인해 사라져 가는 자연, 혹은 도시화에 떠밀려 삶의 거처를 잃어버린 도시 빈민들을 상징한다.

04 ⑤
B는 산업화·도시화로 인해 자연이 파괴되고 무분별하게 개발된 성북동이다. 사람과 비둘기가 공존하며 살아가는 공간은 A 과거의 성북동(개발 이전의 성북동)이다.

05 ①
이 시에서는 눈에 보이지 않는 비둘기의 아픔을 '가슴에 금이 갔다.'라는 표현을 통해 시각적으로 형상화하고 있다.

06 ⑤
ⓐ는 산업화·도시화로 인해 생긴 공간(인간의 주소)으로 과거에는 존재하지 않았다. ⓑ는 개발로 인해 지금은 사라진 공간이다.

07 ②
산의 돌을 깨는 행위(㉠), 채석장에서 돌을 캐는 소리(㉢)는 자연을 해치며 무분별하게 도시를 개발하는 인간 문명의 횡포와 폭력성을 나타낸다.
㉡은 비둘기가 아직 자유롭게 날 수 있는 공간을, ㉣은 자연과 인간이 함께 살았던 과거를 나타낸다.

08 ④
㉮는 작품을 실제 현실과 관련지어 감상하는 방법으로, ④도 산업화·도시화가 한창 진행되던 1960년대라는 현실 배경과 시의 내용을 관련지어 감상하고 있다.
①과 ②는 작품 자체의 특징만으로 감상한 내용이고, ③은 독자와 관련지은 감상, ⑤는 작가와 관련지은 감상이다.

05 추억에서 박재삼

#장면별 핵심 태그

#1
[# 진주 장터]에서 생선을 팔며 힘겹게 살아가던 어머니

#2
[# 골방]에서 어머니를 기다리던 오누이

#3
맑은 [# 진주 남강]도 새벽이나 밤에만 보던 고달픈 어머니의 삶

문제 정답 및 해설

메인북 90~93쪽까지 정답이야!

01
화자 ×
시어 ○
표현 ×
배경 ○

화자 이 시에서는 어른이 된 화자가 가난했던 어린 시절을 떠올리고 있다.
시어 '은전'은 부·재산의 상징으로, 가난했던 화자의 가족은 가질 수 없었던 것이다.
표현 옹기전의 옹기들은 달빛을 받아 반짝이는 것으로, 어머니의 눈물을 빗대어 표현한 것이다. 따라서 어머니의 강인함이 아닌 고달픔과 슬픔을 보여 준다.
배경 1연에 '진주 장터 생어물전'이라고 화자의 어머니가 있는 장소를 구체적으로 제시하였다.

02 ⑤
어머니는 남편을 잃어서가 아니라, 새벽부터 밤까지 일해도 돈을 손에 쥐기 어려운 가난하고 고달픈 삶 때문에 눈물을 글썽였다. 이 시에서 어머니가 남편을 잃었다는 내용은 나타나지 않는다.

03 ④
어머니는 새벽에 일터로 나가 늦은 밤이 되어서야 집으로 돌아오므로 진주 남강이 맑다 해도 새벽이나 밤에만 볼 수 있다. 그러므로 ㉣ '진주 남강'은 어머니의 고달픈 삶을 부각하는 존재이다.

04 ①
화자는 어린 시절 자신과 어머니의 모습을 떠올리고 있지만, 다른 인물과 대화를 주고받고 있지는 않다.

05 ②
② '울 엄매'는 '우리 엄마'라는 뜻의 사투리로, '(울던) 엄마'가 연상되어 슬픈 느낌을 주는 시구이다.
①, ③, ④, ⑤는 '한이던가', '떨던가', '어떠했을꼬', '것인가'와 같은 물음이나 추측을 나타내는 표현을 사용하여 어머니의 고달픈 삶과 이를 이해하는 화자의 마음을 드러내고 있다.

06 ④
ⓐ '별밭'은 어린 시절 오누이가 소망하던 곳으로, 춥고 좁았던 ⓑ '골방'과 반대되는 공간이다.

07 은전
2연에서 생선 눈깔의 둥근 모양은 은전을 떠올리게 하는데 은전은 '손 안 닿는', 즉 가난한 어머니의 처지에서는 가질 수 없는 것이다. 이는 벗어나기 힘든 가난 때문에 한스러웠을 어머니의 삶을 떠올리게 한다.

08 ④
'달빛'은 화자의 어린 시절이 아니라 옹기전의 옹기를 비추는 존재이다. 이 시는 이 달빛 받은 옹기의 반짝임에 늦은 밤까지 고달프게 일해야만 했던 어머니의 글썽이는 눈물을 비유하여 시각적으로 표현하고 있다.

메인북 94~96쪽까지 정답이야!

01
(1) 틈서리
(2) 조력
(3) 자긍
(4) 손실

(1) '틈서리'는 '틈이 난 부분의 가장자리.'라는 뜻으로 여기서의 '틈'은 '벌어져 사이가 난 자리.'를 가리킨다.
(2) '조력'은 '힘을 써 도와줌. 또는 그 힘.'을 뜻하는데, '도울 조(助)'와 '힘 력(力)'자로 이루어진 어휘이다.
(3) '자긍'은 '스스로에게 긍지를 가짐. 또는 그 긍지.'를 뜻하는 말로, '긍지'는 '자신의 능력을 믿음으로써 가지는 당당함.'을 뜻한다.
(4) '손실'은 '잃어버리거나 모자람이 생겨서 손해를 봄. 또는 그 손해.'를 가리키는 말로, '덜 손(損)'과 '잃을 실(失)' 자로 이루어진 어휘이다.

02
(1) — ㉠
(2) — ㉢
(3) — ㉡

(1) '재차'는 '거듭하여 다시.'라는 말이고, '다시'는 '하던 것을 되풀이해서.'라는 뜻이다.
(2) '온기'와 '난기'는 둘 다 '따뜻한 기운.'이라는 뜻이다.
(3) '경위'는 '일이 진행되어 온 과정.'이라는 뜻으로, '일이 되어 가는 경로.'라는 뜻의 '과정'과 바꾸어 쓸 수 있다.

03 ②

'넌지시'는 '드러나지 않게 가만히.'라는 의미로 사용되었다. ①, ③, ④, ⑤ 모두 '드러나지 않게.', '남이 알아차리지 못하게.'와 같은 의미를 지니고 있어 '넌지시'와 바꾸어 쓸 수 있다.
② '공연히'는 '아무 까닭이나 실속이 없게.'라는 의미이므로 바꾸어 쓸 수 없다.

04
(1) 어깻죽지
(2) 낳지
(3) 윗몸

(1) '어깻죽지'는 '어깨에 팔이 붙은 부분.'을 가리킨다. '어깨'와 '죽지(팔과 어깨가 이어진 부분)'라는 말이 합쳐진 것으로, [어깨쭉찌/어깯쭉찌]로 발음한다.
(2) '낫다'는 '병이나 상처 따위가 고쳐져 본래대로 되다.'라는 뜻이다. 한편 '낳다'는 '배 속의 아이, 새끼, 알을 몸 밖으로 내놓다.'라는 뜻이다.
(3) '윗몸'은 '허리 윗부분의 몸.'이다.

05
(1) ㉡
(2) ㉠

(1) ㉠ '왁자지껄'은 '여럿이 정신이 어지럽도록 시끄럽게 떠들고 지껄이는 소리. 또는 그 모양.', ㉢ '시끌시끌'은 '몹시 시끄러운 모양.'을 뜻한다.
(2) ㉡ '달랑달랑'은 '작은 방울이나 매달린 물체가 자꾸 흔들릴 때 나는 소리. 또는 그 모양.', ㉢ '살금살금'은 '남이 알아차리지 못하도록 눈치를 살펴 가면서 살며시 행동하는 모양.'을 뜻한다.

06 ㉡

'한낮'은 '낮의 한가운데. 곧, 낮 열두 시를 전후한 때.'를 이르는 말이다. 한낮은 태양이 높이 떠 있어 밝은 때이므로 '한낮 어스름'이라는 표현은 어색하다.

07 ㉠

만도는 아들 진수가 아직 젊은데도 한쪽 다리를 잃은 신세가 된 것을, 진수 역시 자신 때문에 마음 아파할 아버지를 안타깝게 여기고 있다. 그러므로 '마음과 마음으로 서로 뜻이 통함.'이라는 뜻의 ㉠ '이심전심(以心傳心)'이 가장 적절하다.
㉡ 개과천선(改過遷善): 지난날의 잘못이나 허물을 고쳐서 올바르고 착하게 됨.
㉢ 표리부동(表裏不同): 겉으로 드러나는 언행과 속으로 가지는 생각이 다름.

08 ㉠

설명으로 보아 화자의 어린 시절은 매우 가난했으며 화자의 어머니는 새벽부터 밤까지 힘겹게 일을 해야 했으므로 몸이 고되고 피로했으리라고 추측할 수 있다.
㉠ '입에서 젖내가 난다'는 '나이가 어려 하는 말이나 행동이 유치함을 비유적으로 이르는 말.'이므로 어머니의 상황을 나타내기에 적절하지 않다.
㉡ 코에서 단내가 난다: 몹시 고되게 일하여 힘이 들고 몸이 피로하다는 말. ㉢ 똥구멍이 찢어지게 가난하다: 몹시 가난함을 이르는 말.

별별 소재

01 흐르는 북 최일남

메인북 98~103쪽까지 정답이야!

#장면별 핵심 태그

#1
민 노인이 성규 학교에 가서 [# 북]을 친 일을 따지는 며느리 송 여사

#2
[# 할아버지]를 동원한 일로 성규를 꾸짖는 아버지에게 사과할 일이 아니라는 성규

#3
[# 북]으로 상징되는 할아버지의 삶을 이해한다고 말하는 성규

문제 정답 및 해설

작품 줄거리 1 북 2 민대찬

01 인물 ○ 사건 ○ 배경 × 소재 ○

인물 송 여사는, 민 노인의 아들인 민대찬의 아내이다.
사건 민 노인은 손자 민성규의 학교 축제에서 가면극에 참여하여 북을 쳤다.
배경 민대찬과 민성규가 논쟁을 벌이고 있는 공간은 민대찬의 집이다.
소재 민성규는 '북'이 할아버지인 민 노인의 삶 그 자체라고 여긴다.

02 ① 민 노인의 며느리 송 여사는 민 노인이 성규네 학교 동아리 학생들과 어울려서 북 치고 장구 치는 일이 나이 먹은 사람이 할 일이냐며 비난하고 있다. 민 노인의 아들 민대찬 역시 아버지에게 직접 뭐라고 하는 대신, 아들인 성규를 꾸짖고 있다.

03 ③ 민 노인의 아들 민대찬은 예술을 추구하느라 가족을 버렸던 민 노인을 원망하고 있다. 또한 아들인 성규에게 "할아버지가 나름대로의 예술을 완성했니?"라고 비웃으며 아버지의 예술 정신을 무시하고 있다.

04 ⑤ 민 노인이 치는 북이 손자인 민성규에게로 이어지는(흐르는) 모습에서 세대 간의 갈등을 극복하고 화합을 이룰 수 있다는 작가의 주제 의식을 알 수 있다.

05 ③ 민대찬은 민 노인이 북을 친 일이 못마땅하지만 집안의 분란을 더 키우고 싶지 않아 방에서 나온 민 노인을 외면하고 성규에게만 화를 내고 있다.

06 ⑤ 이 글에서 민성규는 할아버지의 예술 정신을 이해하는 한편, 그런 할아버지 때문에 고생했던 아버지의 처지 역시 이해하는 인물이다. 그렇지만 할아버지와 아버지를 화해시켜야겠다고 생각하거나 그러한 행동을 보이고 있지는 않다.

07 ③ #2에서 민성규가 자신을 꾸짖는 부모에게 한 말이다. 민성규는 자신이 민 노인에게 부탁하여 두 사람이 함께 봉산 탈춤 공연을 한 일이 잘못이 아니라며 당당한 태도를 보이고 있다.

08 ⑤ 민대찬은 민 노인과 갈등하는 자신과 달리 민 노인을 이해하려는 아들 성규를 못마땅해한다. 게다가 성규가 꼬박꼬박 말대답하자 참지 못하고 '이놈의 자식'이라고 비속어를 쓰며 뺨까지 때린다.

아홉 켤레의 구두로 남은 사내 윤흥길

메인북 104~109쪽까지 정답이야!

#장면별 핵심 태그

#1
집에 들어온
[# 강도]의 어설픈
행동에 강도가 권 씨임을
눈치채는 '나'

#2
자존심에 상처를 입고 집을
나간 권 씨와
[# 대문]을 잠그지
않고 기다리는 '나'

#3
아홉 켤레의
[# 구두]만 남기고
행방불명된 권 씨

문제 정답 및 해설

작품 줄거리 1 대학 2 구두

01
인물 ○
사건 ×
배경 ○
소재 ○

인물 이 글의 주인공은 권 씨이고, '나'는 권 씨를 관찰하여 이야기를 전달하는 서술자이다.
사건 '나'의 집에 든 강도의 정체는 권 씨이다. 권 씨는 '나'에게 정체를 들킨 것을 알고는 빈손으로 집을 나간다.
배경 권 씨는 '나'의 집 문간방에 세 들어 살고 있다.
소재 권 씨는 '나'가 자신의 아내의 수술비를 대신 내 준 것을 모르고 수술비를 마련하기 위해 강도짓을 벌이고 있다.

02 ⑤
권 씨가 행방불명된 상황과 '구태여 꼭 단서가 될 만한 흔적을 찾자면'이라는 구절을 보면, '나'가 권 씨의 문간방에 간 것은 권 씨 행방과 관련한 단서를 얻기 위해서임을 알 수 있다. 이는 아내의 수술 보증금과는 관련이 없다.

03 대문은 저쪽입니다.
'나'는 권 씨가 다음날 자신을 아무렇지 않게 대할 수 있도록 하려면 자신이 권 씨를 끝까지 강도로 대해야 한다고 생각한다. 그러나 '나'가 권 씨를 배려하여 대문의 위치를 알려 준 일은 오히려 권 씨의 자존심에 심한 상처를 입힌다.

04 ③
'나'는 강도의 복면 위로 드러난 눈과 강도의 행동을 보고 그가 권 씨라는 사실을 이미 눈치채고 있다. 오히려 강도가 두려움에 떨고 있고, '나'는 강도가 강도짓을 마저 할 수 있게 배려하고 있다.

05 ③
'나'는 강도가 권 씨라는 사실을 눈치채고서도 권 씨를 배려하여 끝까지 강도로 대우한다. 하지만 권 씨는 자신의 정체가 들통났다는 것을 알고 지식인으로서의 마지막 자존심을 지키고 싶어 한다.

06 ⑤
권 씨는 복면을 쓰고 강도 행각을 벌이는 자신의 정체를 '나'가 눈치채고 자신을 배려해 주는 것에서 오히려 자존심에 상처를 입고 집을 나가 돌아오지 않는다.

07 ③
구두는 권 씨의 자존심을 상징하며 권 씨의 심리 상태를 나타낸다. 그러나 먼지를 덮어쓴 구두는 권 씨가 닦아 두지 않은 것일 뿐, 권 씨의 상처 입은 마음을 상징한다고 볼 수 없다.

08 ③
'나' 역시 셋집을 전전하며 어렵게 살다가 겨우 자기 집을 마련한 소시민이다. '나'는 권 씨 아내의 수술비를 대신 내 주기도 하고, 권 씨가 강도짓을 할 수 있도록 배려하는 등 권 씨를 돕고자 하는 인물이다.

03 성탄제

김종길

#장면별 핵심 태그

#1
어린 시절 열병으로 앓아누운 '나'를 위해 [# 산수유] 열매를 따 오신 아버지

#2
아버지만큼 나이를 먹은 현재의 '나'가 느끼는 [# 아버지]의 사랑

문제 정답 및 해설

메인북 110~113쪽까지 정답이야!

01
화자 ○
시어 ×
표현 ×
배경 ○

화자 7연의 '그때의 아버지만큼 나이를 먹었다'는 시구를 통해 화자는 어른이 된 '나'임을 알 수 있다.
시어 8연에서 '반가운 그 옛날의 것'이 내린다는 것에서 '눈'을 가리킨다는 것을 알 수 있다.
표현 후각적 심상은 코로 냄새를 맡는 것 같은 이미지를 말한다. 이 시에는 눈으로 보는 것 같은 시각적 심상, 피부로 느끼는 것 같은 촉각적 심상이 나타난다.
배경 화자가 떠올리는 어린 시절에도 눈이 내렸고, 지금도 '성탄제 가까운 도시'라는 것에서 겨울임을 알 수 있다.

02 ④
시적 화자는 어린 시절 아픈 자신을 위해 눈을 헤치며 산수유 열매를 구해 온 아버지의 사랑을 떠올리고 있다.
①, ②, ③, ⑤도 일어날 수 있는 일이기는 하나, 문제에서는 이 시에 나타난 경험만을 묻고 있으므로 답으로 체크하지 않도록 주의해야 한다.

03 ②
2연은 어린 시절 열병으로 앓아 누운 화자를 애처롭게 바라보며 지키고 있는 할머니의 모습을 보여 줄 뿐, 늙은 할머니와 어린 화자를 시각적으로 대비하고 있지는 않다.

04 ④
[A]는 1~6연으로 화자가 과거의 어린 시절을 회상하는 부분이고, [B]는 7~10연으로 어른이 된 화자가 현재 시점에서 아버지의 사랑을 그리워하는 부분이다. 화자가 아버지의 사랑을 그리워하는 내용은 나오고 있지만, 어머니에 대한 내용은 나와 있지 않다.

05 ⑤
ⓔ는 ⓐ, ⓑ와 같은 의미이다. '산수유 열매'는 해열제로 쓰이기도 하는데, 아버지는 앓고 있는 자식을 살리기 위해 눈이 내리는 산속을 헤치며 약을 구해 온 것이다.

06 ③
'서느런 옷자락'은 자식을 위해 차가운 눈 속을 헤치고 약을 구해 온 아버지의 사랑이 드러난 부분이라고 볼 수 있다.

07 ③
'서러운 서른 살'은 'ㅅ'으로 시작하는 단어를 연달아 배치하여 리듬감을 주고 있다.

08 ⑤
'성탄제'라는 배경은 예수의 희생적인 사랑과 성스러운 분위기를 떠올리게 한다. 화자는 눈을 헤치고 산수유 열매를 구해 자신을 살린 아버지의 사랑을 이 성탄제와 연관 지음으로써 그 사랑을 헌신적이고 숭고한 이미지로 승화시키고 있다.

04 풀 김수영

메인북 114~117쪽까지 정답이야!

#장면별 핵심 태그

#1
비를 몰아오는
[# 동풍]에
눕고 우는 풀

#2
[# 바람]보다도
더 빨리 눕고, 더 빨리 울고,
먼저 일어나는 풀

#3
바람보다 늦게 누워도 먼저
일어나고, 늦게 울어도
먼저 웃는 [# 풀]

문제 정답 및 해설

01
화자 ×
시어 ○
표현 ○

화자 이 시의 화자는 겉으로 드러나 있지 않다.
시어 '풀'은 민중을, '바람'은 민중을 억압하는 권력을 상징하는 시어이다.
표현 유사하거나 동일한 시구를 반복하여 사용하면 의미를 강조하는 효과와 함께 운율을 줄 수 있다.

02 ④
소리와 모양을 흉내 내는 의성어와 의태어를 음성 상징어라고 하는데, '야옹야옹', '살금살금' 같은 말들을 가리킨다. 음성 상징어를 사용하면 대상을 좀 더 생생하게 표현할 수 있지만, 이 시에는 이러한 표현이 사용되지 않았다.

03 ②
이 시가 쓰인 시기는 1960년대로 독재 권력이 민중을 억압하던 시대이다. 따라서 '풀'은 억압받는 민중을, '바람'은 민중을 억압하는 독재 권력을 상징한다고 할 수 있다.

04 ⑤
①~④는 1연에 제시된 '풀'의 모습으로, '풀'의 수동성과 나약함을 보여 준다. ⑤는 2연에 제시된 '풀'의 모습으로, 풀의 능동성과 강인함을 보여 주는 시어이다.

05 ④
A와 B가 반복되는 것에서 '풀'의 역동성, 즉 힘차고 활발한 움직임이 나타난다. 이러한 반복적인 움직임이 나타나는 것은 '풀'이 시대 현실에 끊임없이 저항해서이지 혼란스러워하기 때문이 아니다.

06 ②
날이 흐리다는 것은 아직 풀을 둘러싼 시대 현실이 암울하다는 것을 나타난다. 하지만 적극적이고 능동적으로 변한 '풀'의 속성으로 보아, 결국 '풀'이 현실의 고통을 이겨 낼 것이라고 짐작할 수 있다.

07 ④
'풀'이 점점 '발목까지' 눕고 '발밑까지' 누웠다는 것은 '풀'에게 가해지는 시련 때문에 '풀'의 고통이 극심해졌다는 것을 의미한다.

08 ⑤
'풀뿌리가 눕는다'는 '풀'의 고통이 지속되고 있음을 알려 준다. 하지만 이 시의 흐름과 보기의 설명으로 볼 때, 인간은 내면의 갈등이나 시련을 만나 방황하더라도 결국 그것을 극복해 내는 존재라고 추측할 수 있다.

보기 돋보기
읽는 사람의 시각에 따라서 시의 해석이 달라질 수 있음을 설명하고 있다.

05 결혼 이강백

#장면별 핵심 태그

#1
'하인'이 넥타이를 빼앗아 가자 관객에게 가서 [# 넥타이]를 빌리는 '남자'

#2
'남자'가 빈털터리라는 사실을 알게 되자, [# 작별] 인사를 하고 떠나려는 '여자'

#3
'여자'를 '[# 덤]'이라고 부르며 '여자'를 헌신적으로 사랑하겠다고 설득하는 '남자'

#4
'여자'는 결국 '남자'의 청혼을 받아들이고, '남자'와 '여자'는 [# 결혼]을 하러 감

문제 정답 및 해설

메인북 118~123쪽까지 정답이야!

작품 줄거리 **1** 넥타이 **2** 청혼

01 인물 × 사건 ○ 배경 × 소재 ×

인물 '남자'는 아무것도 가진 것이 없는 빈털터리 사기꾼이다.
사건 '여자'는 '남자'가 빈털터리라는 것을 알고 떠나려고 하지만, 결국 '남자'의 진심을 받아들인다.
배경 '여자'는 맞선 장소를 '남자'의 집으로 알고 있지만, 사실 이곳도 '남자'가 빌린 것이다.
소재 '하인'이 '남자'가 하고 있던 '넥타이'를 빼앗아 가자 '남자'는 관객에게 '넥타이'를 빌렸다.

02 ③

'남자'는 주인에게서 온 경고문을 '여자'에게 보여 주며, 자신이 빈털터리이자 사기꾼이라는 사실을 밝히고 있다.

03 ⑤

'남자'는 주인에게서 집에서 나가라는 경고문을 받는다. '하인'은 '엄청나게 큰 구두 한 짝'을 신고 와서 남자를 차 낼 듯한 분위기를 조성하고, 결국 구둣발로 남자를 걷어찬다.

04 ⑤

㉠은 배우가 아닌 극을 보기 위해 모인 관객이다. 이 글에서 관객은 '남자'에게 넥타이를 빌려주기도 하고 빌린 시간을 재는 등 극중에 적극적으로 참여하여 배우와 관객의 경계를 허물고 모든 것은 빌린 것이라는 주제를 효과적으로 전달한다.

05 ⑤

작가는 자신이 빌렸던 모든 것을 주인에게 돌려주었을 때 가장 원하는 사랑을 얻게 된 '남자'와, 부자와 결혼하려 했다가 빈털터리인 '남자'를 사랑하게 된 '여자'의 모습을 통해 주제를 전달하고 있다. 이는 곧 소유의 본질과 진정한 사랑의 의미가 무엇인지를 생각해 보게 한다.

06 ⑤

'하인'은 '남자'가 빌린 물건을 시간이 되면 회수해 가는 기계적인 역할을 담당할 뿐 아무런 대사가 없다. '남자'가 시간이 되어도 집에서 나가지 않자 '남자'를 쫓아내는 역할을 하고 있다.

07 ④

'여자'는 '남자'가 빈털터리라는 사실을 알고 실망하여 청혼을 받아들여야 할지 고민한다. 하지만 떠나려는 자신을 붙잡는 '남자'의 말에 설득당하고 결국 '남자'가 '하인'에게 걷어차이자 돌아와 '남자'에게 사랑을 고백한다.

08 관객(들)

이 글에서는 '남자'가 관객에게 '넥타이'를 빌리기도 하고, 관객석의 사람을 붙들고 말을 걸기도 한다. 이처럼 이 글은 관객을 극에 참여시킴으로써 관객을 극에 끌어들이며 글의 주제를 전달하고 있다.

메인북 124~126쪽까지 정답이야!

01

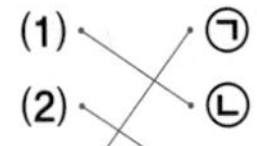

(1) '절규하다'는 '있는 힘을 다하여 절절하고 애타게 부르짖다.'라는 뜻이다.
(2) '졸렬하다'는 '옹졸하고(성품이 너그럽지 못하고 생각이 좁다.) 천하여 서투르다.'라는 뜻이다. '좀스럽다'는 '도량이 좁고 옹졸한 데가 있다.'라는 뜻이다.
(3) '고깝다'는 '섭섭하고 야속하여 마음이 언짢다.'라는 뜻이다.

02 ③

'냉소'는 '쌀쌀한 태도로 비웃음. 또는 그런 웃음.'을 가리키는 말로, '비웃음', '찬웃음', '코웃음'으로 바꾸어 쓸 수 있다.
① '눈웃음'은 소리 없이 눈으로만 가만히 웃는 웃음이다. ② '헛웃음'은 마음에 없이 지어서 웃거나 어이가 없어서 피식 웃는 웃음이다. ④ '함박웃음'은 크고 환하게 웃는 웃음이다. ⑤ '너털웃음'은 크게 소리를 내어 시원하고 당당하게 웃는 웃음이다.

03
(1) 묵묵부답
(2) 허둥지둥

(1)은 「결혼」에서 '하인'이 '남자'의 말에 아무 대답도 하지 않는 모습을 나타낸 말이다.
(2)는 「아홉 켤레의 구두로 남은 사내」에서 '나'의 집에 강도로 들어온 권 씨가 자신의 정체를 들키자 밖으로 나가는 장면에서 쓰인 말이다.

04 ㉢

㉢ '불현듯'은 불을 켜서 불이 일어나는 것과 같다는 뜻으로, 갑자기 어떠한 생각이 걷잡을 수 없이 일어나는 모양을 가리킨다.
㉠ '선불리'는 '솜씨가 설고 어설프게.'라는 뜻이고, ㉡ '함부로'는 '조심하거나 깊이 생각하지 않고 마음 내키는 대로 마구.'라는 뜻이므로 적절하지 않다.

05 ㉠

'짝'은 수량을 나타내는 말 뒤에 쓰여 둘이 서로 어울려 한 벌이나 한 쌍을 이루는 것의 각각을 세는 단위를 가리키므로 ㉠에 들어가야 적절하다.
㉡에는 뿌리를 단위로 한 초목의 낱개를 세는 단위인 '포기'가 들어가야 한다. ㉢에는 종이나 유리처럼 얇고 넓적한 물건을 세는 단위인 '장'이 들어가야 한다.

06
(1) 띄지
(2) 빈털터리
(3) 몰아붙였다

(1) '띄다'는 '눈에 보이다.'는 뜻으로 '뜨이다'의 준말이다. '띠다'는 빛깔, 색채, 감정, 기운 등을 나타낼 때 쓴다.
(2) '빈털터리'는 '재산을 다 없애고 아무것도 가진 것이 없는 가난뱅이가 된 사람.'을 뜻하는 말이다.
(3) '몰아붙이다'는 '남을 어떤 상황이나 방향으로 몰려가게 하다.'는 뜻이다.

07 ㉡

'부아가 꾸역꾸역 치솟다'는 몹시 화가 날 때 쓴다. 여기서 '부아'는 노엽거나 분한 마음을 뜻한다. '속이 끓다', '눈에 불이 나다'는 몹시 화가 난 상태에서 사용할 수 있는 관용어이다. ㉡ '간이 떨어지다'는 순간적으로 몹시 놀랄 때 사용하는 관용어이다.

08 ㉡

이 글에서 강도는 자기가 강도인 것을 잊고 아이가 깰까 봐 들고 온 칼도 내려놓고 아이를 토닥거리고 있고, 집주인인 '나'는 강도가 떨어뜨린 칼을 집어 들고 있다. 따라서 주인과 손님의 위치가 서로 뒤바뀐다는 뜻의 '주객전도'가 이 둘의 관계를 나타내기에 가장 적절하다.
㉠ '인과응보'는 원인이 있으면 반드시 결과가 있다는 뜻으로, 자신이 행한 대로 결과의 좋고 나쁨이 나타난다는 말이다. ㉢ '대기만성'은 큰 그릇을 만드는 데는 오래 걸린다는 뜻으로, 크게 될 사람은 늦게라도 성공한다는 말이다.

상위 0.1% 학생들의 공통 능력은? 메타인지!

메타인지를 키우고 싶다면 시작은 와이즈캠프

아는 것과 모르는 것을 구분해
배운 내용을 100% 내 것으로 만드는 능력

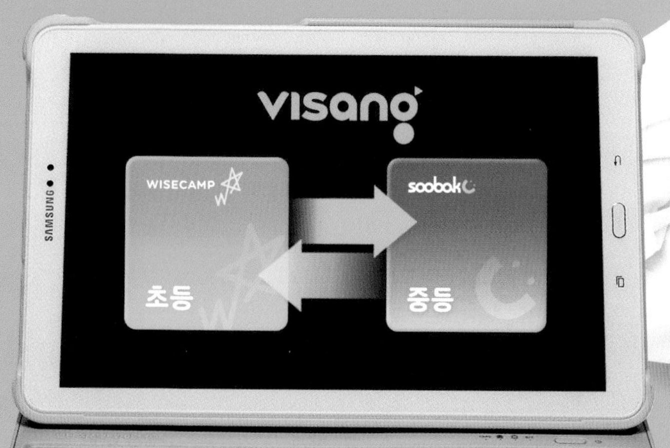

- 업계 유일! 초등 전 학년 메타학습 솔루션
- 중등 1위 수박씨 전 강좌 무제한 동시수강
- 담임선생님과 AI 학습 솔루션의 1:1 맞춤 학습 관리

상위 0.1% 학생들의 공통 능력인 메타인지! 와이즈캠프에서 키우세요.

- 신규회원에 한하여 무료학습 안내를 위한 해피콜이 진행됩니다.
- www.wisecamp.com 회원가입 시 쿠폰번호를 입력해 주세요.
- 자세한 문의는 1588-6563을 통해 확인하세요.

10일 무료체험 쿠폰번호

2201-VC-01-010

초등 수능 독해

초등부터 수능까지 필수 문학 작품을 학습합니다.

대표전화 1544-0554
주소 서울특별시 구로구 디지털로33길 48 대륭포스트타워 7차 20층
협의 없는 무단 복제는 법으로 금지되어 있습니다.